ら葛飾区亀有公園前派出所⑮

秋本　治

集英社文庫

※本文中に出てくる数々のデータ、数字等はコミックス掲載時のものです。

こちら葛飾区
亀有公園前
派出所⑮
目次

ロボットくん
2号の巻《まき》

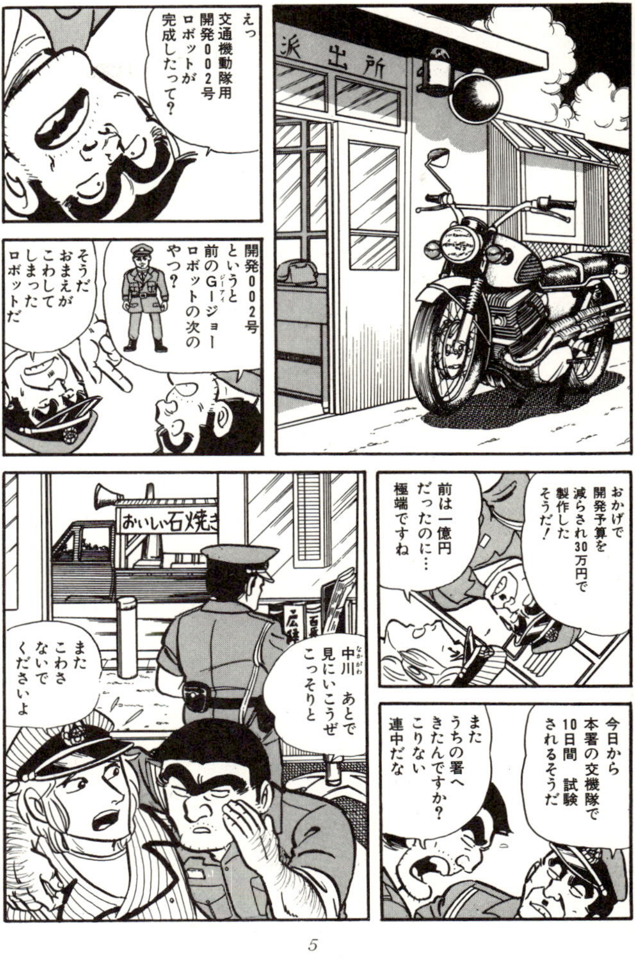
派出所
えっ 交通機動隊用 開発002号 ロボットが 完成したって?
開発002号 というと 前のGI《ジーアイ》ジョーの次の やつ?
そうだ おまえが こわして しまった ロボットだ
おかげで 開発予算を 減らされ30万円で 製作した そうだ!
前は一億円 だったのに… 極端ですね
今日から 本署の交機隊で 10日間 試験 されるそうだ
また うちの署へ きたんですか? こりない 連中だな
おいしい石焼き
中川《なかがわ》 あとで 見にいこうぜ こっそりと
また こわさ ないで くださいよ

なんで交機用ロボットなんか作ったんだ？
交通戦争時代ですからね鋼鉄の兵士みたいなものですよ
するとアニメのロボットみたいなやつかなうーむかっこいいな
ガロロロ
キイッ

なかなか運転がうまくなったじゃないか
いいんですかこんな所に止めちゃって!
バタッ
かまうもんかそこならレッカー移動される心配もない
免停の人は90日間自転車で仕事場へかよう事!
ねーちゃん交機用ロボットはどこにあるんだい?
え!?
ロボットなら中庭だと思いますけど…
そうかサンキュー
中川 こい! 忍者部隊出動! 敵は 中庭にいるぞ!
しゅわっち
なんなんですか? あの人たち?
新期生じゃ無理ないわね ここの名物よ
交通安全

あれ？それらしき物は全然ないじゃないか？
変ですねえ……
おや本田《ほんだ》があんな所に……
何作ってるんだ本田!?
開発002号のロボット
なんだと組み立て式なのか？002号は！
くじ引きでぼくが組み立て担当になっちゃったんですよ
相当経費節約してますね今回は…
どけ！おまえじゃぶきっちょで無理だ！わしがかわってやる

まるでプラモデルだな！
金属部品
オートバイに変身するキットもついてますよ
タカラで作ったんじゃねえのか？この開発002号は！
オートバイセット
ミシュランタイヤ
ハロゲンライト付
これで完成だひでえスタイルだ！
アニメのロボットとはだいぶちがいますね
スイッチを入れてみますよ
こ　こんにちはだな！
おっしゃべったぞ
ボ　ボ
ボクは開発
002号の
ロボットだな
兵隊の位でいうと
や　やっぱし
三等兵だな！
どこかで聞いた風なしゃべり方だな

ボクのバイクキットはどこかな？
そこの箱に入ってるよ
だいじにもっていろっていわれてたからな
組み立て図も持ってないとダメなんだな
こ これで万全だなやっぱし
ますますだれかに似てきた…
さっそくバイクに変身してもらって出動しようぜ
そうですね
開発002号バイクに変身だ！
なななんだって!?
変態が どうかしたか？

ばか！変身だ！バイクにかわれ！
やっぱし！ちょっと時間かかるだなこれは！
こんなトロイロボットで交通戦争に対応できるのかよ？
さあ…上の人たちは何　考えて作ったのやら…
こんなもんでいいかな？
よしなかなかかっこいいぞ
わたしたちは車でついていくからな
はい
ビィイイイーン

あいたた！
キキーッ
いたいんだな！
全然スピードが出てないぞこのバイクは！
電気で
走ってるから
限界があるな！
やっぱし
本田のやつひとりごといって走ってるぞ
バイクと話しているんですよきっと
あんなノロいバイクじゃ違反車はつかまらんよ！
スピード出したらバラバラになっちゃうんじゃないんですか？
8—20

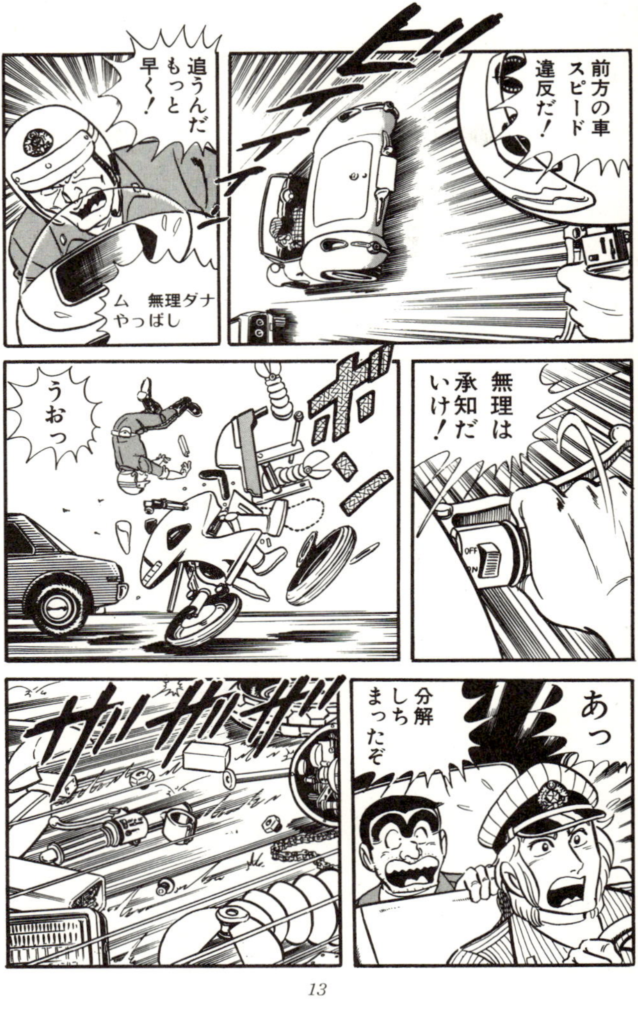
前方の車スピード違反だ！
追うんだもっと早く！
ム　無理ダナ
やっぱし
無理は承知だいけ！
うおっ
あっ
分解しちまったぞ

大丈夫かっ 本田!
あいたた なんとか 生きてるよ
あーあ こんな所に 粗大ゴミ ちらかし ちゃって…
清掃車
東京都
まったく 近ごろの 住民と きたら…
それ だめだな!
え!? なんだって!
それ ボ ボクの足 なんだな
困るな やっぱし
どうした んだ?
ゴミが オレに 話しかけた やはり 疲れてるの かな
清掃車 No.35
まったく! 手間のかかる やつだな!
あやうく 夢《ゆめ》の島《しま》へ行く所 だったんだな

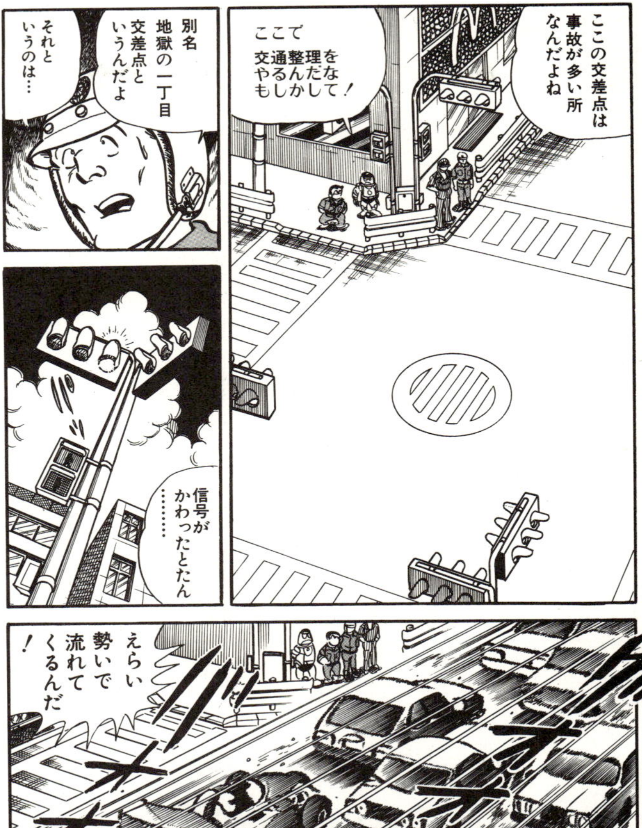
ここの交差点は事故が多い所なんだよね
ここで交通整理をやるんだなもしかして!
別名地獄の一丁目交差点というんだよ
それというのは…
信号がかわったとたん………
えらい勢いで流れてくるんだ!

100キロ近く出してるんじゃないのか
全員だからつかまえようがないんだな
そして……
信号がかわりむこうが青になったとたん…
間髪《かんぱつ》入れず車の嵐《あらし》となるんだ
その間わずか3秒！その間にまん中の安全地帯へいかないとならないんだ
すごくハードな仕事だな
わ わかった とにかく いってくる
大丈夫かよす早くいけよ！

パ
赤になった
!
よし今だすぐいけ!
よいしょ あら? バッテリーが切れたな…
ギギッ
ドジめ! 思考回路はないのか! おまえは!!
どうもお世話になります
こわれるたび部品が少なくなってくるな
これがバッテリーか………
先輩このロボット3V《ボルト》で動いてますよ……
だから動作がとろいんだよまったく!

単三電池 2個分で 動いて いたの？
いくら 予算が 少ない からって そこまで ケチるとは……
どけ どけ バッテリーを かえる
あっ
それは トラック用の 24V《ボルト》じゃ ないですか
!?
そうだよ これで 動きが 機敏になる はずだ
ショート しますよ こわれたら どうするんです！
物事 やって みなきゃ わからん いくぞ！
ガーッ
ムグッ
シャキーッ
やった 大成功！

ガチャ
ガチャ
うわっ
あぶない!!
スピード
出しすぎは
じ　事故の元だな
ブロロロ…
実用新案効果音 車田正美©
すごい
止めちゃった!
ほうれん草を
食べた ポパイ
みたいだよ
むっ
信号無視!

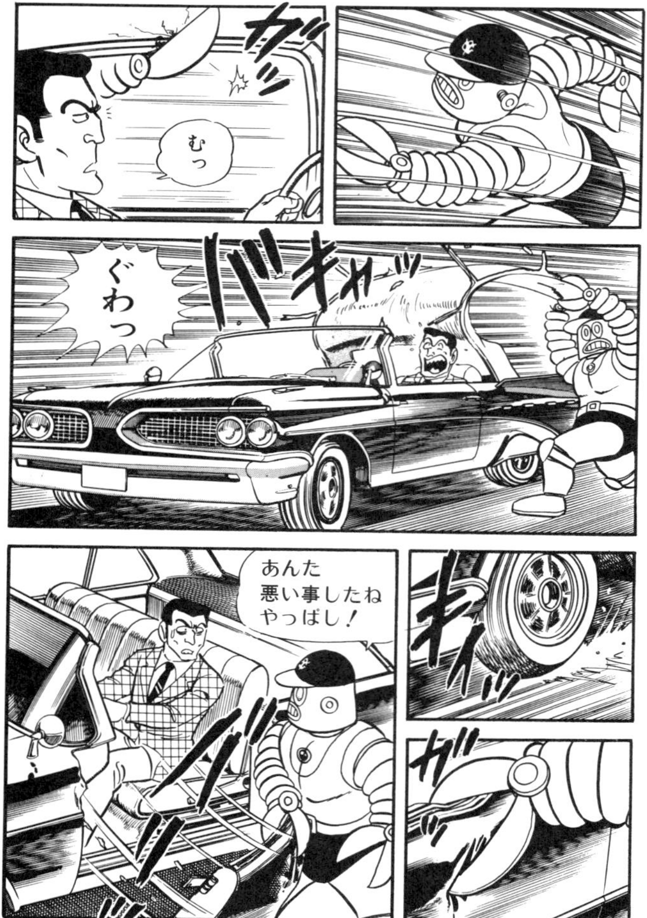

ガッ
むっ
バキャーッ
ぐわっ
キイッ
ガッ
あんた
悪い事したね
やっぱし！

兵隊の位でいうと少佐くらいの悪い事したなやっぱし
ひゃあ助けてくれ〜っ
変ぼうぶりは本田以上だな………
ズシーン
ズシーン
今日が最終日か無事002号もどったでしょうかね
どうかなその後会ってないからな
ん!?
ミシ…

★週刊少年ジャンプ1983年34号

署長《しょちょう》の息子《むすこ》の巻《まき》

派出所
案ずるよりうむがやすし、という言葉があるがアールイスより鈴木やすしという言葉はない
えっ本署からの重要命令が私に!?
そうだ署長からの御指名だぞ
ようやく私の勤務ぶりが評価されましたか
試験パスで巡査部長にしてくれるのかな?
あるいはいっきに課長昇進とか………
両津君へ うちのむすこを遊園地につれてってくれたまえ 署長
なんですか!? これが 重要命令ですか!?
そうだ署内で一番おまえが適任者だからな

署長の息子ってあの小生意気なガキでしょ
こら！そんな事いうもんじゃない！
署長から金もあずかってきた2万円
なんとあのケチな署長が2万も!!
人が悪いな！初めからいってくれればいいのに！
おまえにあげるのとちがうんだぞ！費用に…
わかってますよいいバイトだやった！
心配になってきたな…
バイクより安いスズキのマーボー
紋には出そうホンダのターボ
全国交通安全会
パパミッキーマウスに会ってサインもらってくるんだ
そうか十分楽しんでくるんだよ
警視庁

おそいな もう くるころ だが……
どうも おまたせ しました
キッ
あっ
自転車で いく気 かね？
はい 脚力には 自信が ありますから…………
タクシーのが いいな ぼく！
だめ あれは 高い！
じゃ 署長 いって きます
自転車で 遊園地へ いくとは……
まあいい 何ごとも 経験だ
多少 不安 だが……

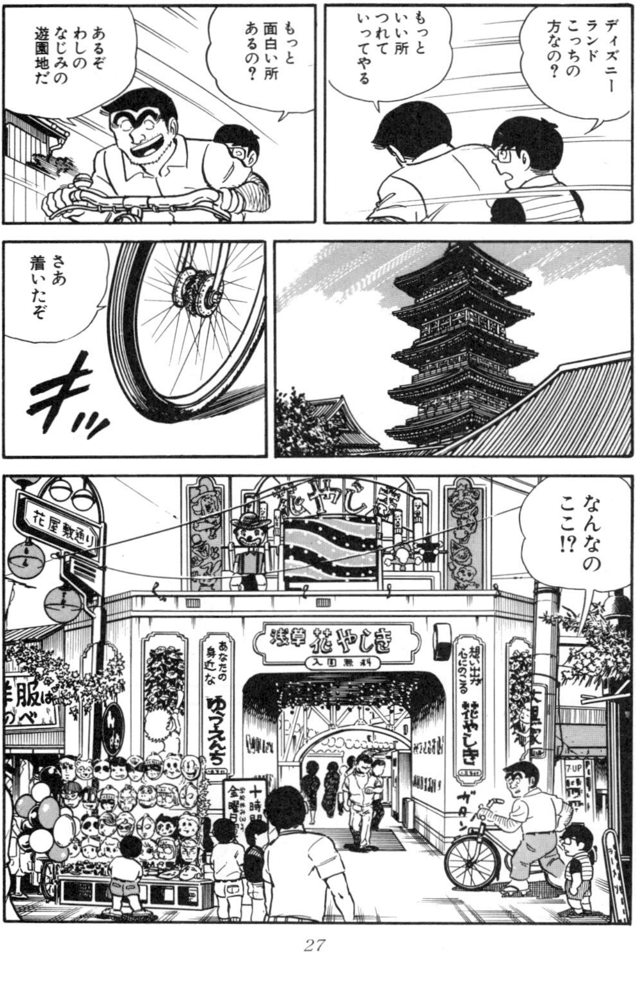
ディズニーランドこっちの方なの?
もっといい所つれていってやる
もっと面白い所あるの?
あるぞわしのなじみの遊園地だ
さあ着いたぞ
キッ
花屋敷通り
花やしき
浅草花やしき
入園無料
あなたの身近なゆうえんち
想い出が心にのこる花やしき
なんなのここ!?

みての通り楽しそうな遊園地だ
なんか古そうだぞ
あれ？入場券は？
タダだからここへきたんだ
わしの実家はこの近くでなここはガキのころからの遊び場だった
別に個人的な過去は聞いても仕方ないよ
花やしき
ねえコークスクリューどこにあるの？
そんなものはない！
じゃ大観覧車は？
ない！

ちぇっ
なんにも
ないんじゃ
ないか
ばか者
ほかにも
いっぱい
あるだろ
ベビー列車
おっと
いけね
署長の
息子だって事
忘れてた
鬼退治
これなんか
どうだ？
ナウイ
遊びだぞ
100円 ボール5個
やだ！
こんなのっ
スペースシャトルが
とぶ時代に
なんで
鬼退治なんか
しなくちゃ
いけないん
だよっ
くっだら
ない！
理屈っぽい
とこは
署長
そのまま
だな
腕相撲
納涼おばけ大会
8月1日から15日まで
小結
十両
そうだ
これが いい
面白いぞ
やだよ
こんなの
！

だいたい腕相撲の相手が相撲とりという発想が子どもをバカにしてるよくっだらない!
ぶっ殺してやろうかこのガキ!
本当に面白いよ最高だぞ
それじゃおじさんやってみてよ
おじさんが勝ったらやってあげてもいいよ
わしが負けるはずないだろ
うっ強い!
小結
昔とちがうぞ'83年度版は強力になってるのかくそ!
負けそうじゃないかよおじさん!
バギッ
あっ
あっこわした!
ばかやろう勝負はこれからだ!
うおっりゃあ!

お巡りさんが機械をこわしちゃった!
しっ黙れ!しっ!
なんだこれは?
あれに乗りたい
人工衛星か?
おや?
両さんじゃないか久しぶりじゃないか…
よっまじめに働いてるか!

今日は非番なのかい？
署長のガキのお守りできたんだよ
それじゃ気ィつけてあげてくれよ
ちょっとキップは？キップ！
キップだと？
とぼけちゃっておとな3枚子ども2枚だよ
このオレから金をとるのか？わしはいつもツケだろ！ツケ！日の丸クレジットを忘れたのか？
は…はあ
まいるないつもああなんだから
ゲイイイイン
わああがったあがった

おじさん これ 上に あがる だけなの？
そう だよ
まさに 子ども だましだね スリルも 何もない！
ガチガチ
にくったらしい やつだ このやろう
そんなに スリルを 味わい たいか？
もちろん だよ！
ようし！ わかった!!
ガガ
骨のズイまで 味わわせて やる!!
うわっ
助けて ーーっ
ぎゃあ ーーっ
あーっ
おや 上で 叫び声が？

やりすぎだよ ほかのお客さんにも迷惑かかるし危険だろ!!
こいつがあまり生意気だったものでつい………
うわああ ああーーっ
悪かったな メシでも食いにいこう!
えっ ごはん?
ぼくは洋食じゃないといやだからね
空中につるしてやろうかこいつっ!
よう!
あっ 両さん!?
たこやき
たこやき
THE TAKOYAKI
たこやき
珍しいな 警官クビになったのか?
縁起でもない事いうな 3人前よこせ!
あいよ 3人前
300円だな ほらよ

ちょっと！ ひと箱250円だよ！ 全部で750円！
昔は100円だったじゃないか！
それは5年前の話だろ！ 両さん
その100円は5年前に作られた物だから当時の値段で買えるはずだ
相変わらず値ぎり方も荒っぽいな負《ま》けたよ
ほら ボウズ タコ焼きだぞ食べろ！
何 それ？ 食べ物？
タコ焼きという中国伝来の高価な食べ物だ心して食べろよ
うん おいしい！
おじさんジュース買ってきてよ
なにジュースだと！
ノドがかわいたら水を飲め！
ちぇっ ケチ！

どういう教育してるんだ ぜいたくなガキだ
なんとか今日は二千円以内でおさえねばならん！
おじさんゴーカートに乗りたい
よし車ならあるぞ
おっとこれはむずかしい！
ガタン
ガタン
東海道 ドライブゲーム
このスピード感コーナリングのスリル！まさに実車の迫力だぞ
こんなのやりたくないよ！
テレビゲームの方がいいよ
ダメ！あっちは100円！
こっちは30円！3回もできる
これは どうだ つかめそうでつかめないハイテクニックを要するクレーンゲーム
やだよそんなの
10円コーナー
三社祭
劇映画
遠慮なく遊んでいいぞどれでも
安いやつばっかりじゃないか

おっ わしの 大得意な やつだ
輪投げ
輪投げ
ちょっと まってろ かわりに やってきて やる！
トイレ
自分で 遊んじゃって るんだから もう！
ぼくも 自分の おこづかいで 遊んで こよおっと！
やった わしは 輪投げの 天才だね！
おい こんな一杯 賞品を…… あれ？
あいつ どこいった んだ？
スリラーカー
コースター
ドタバタランド
きしゃぽぽ
きっぷ

さあて なんに 乗ろう かなっと
ドッ
あいた!
気を つけてよ 危ないじゃ ないか!
なんだと! このガキ いっちょ まえに!
あっ
迷子に したら 大変だぞ
クビに なっち まうよ!
あっ あそこに いた!
文句 あるのかよ おい!
心配させ やがって! さあ いくぞ
なんだ てめえ! そのガキの 連れか!
そうだよ 何か 用か!

そのガキ オレに ぶつかっといて しらん顔だ あやまって もらおう
そうか よし あやまれ
ごめん なさい!
さあ じゃ いこうか
ちょっと まて! こら
あやまって すむとでも 思うのかよ おい!
日本語《にほんご》の わからん やつだな あやまれと いったから…
とぼける な! てめえ!
大丈夫 おじさん
あいてて て!
ガキの不始末は 親の責任だ 覚えときな
へへへ
まった!
ぬっ
おまえ 地元か?
だったら どうだと いうんだ

それじゃなおさらゆるせねえ！
うわっ
おまえもだこのやろう
ぐわっ
うわあーっ
ま…まってくれ話せばわかる話しましょう！
うるさいゆるさん！！
助けてお巡りさん！
わしが警官だ！悪党め！

署長のガキ泣かしたりひっぱたいたりしたからなクビかもしれんぞ
先輩は子どもと本気でケンカするからなあ
両津くん!
あっ
こ これは署長どの!
おぼっちゃまに対しては実に申しわけないと……
何いってるんだきみ!
あれから食べ物の好ききらいがなくなってぜいたくはしなくなったよ
すごく 両津くんを気に入って今度 また いっしょに遊びにいきたいといってたぞいやあ〜〜っありがとう!
そ…そうですか! 署長に似て 実に素直でかしこいおぼっちゃまでしたからねははは

★週刊少年ジャンプ1983年33号

両《りょう》さんの長崎旅行《ながさきりょこう》①の巻《まき》

両《りょう》さんの長《なが》崎《さき》旅《りょ》行《こう》①の巻《まき》

ネズミと格闘してたのに! 邪魔しないでください
おまえ来週長崎《ながさき》へいけ!
えっなんで?
長崎の警察署でおまえに用があるそうだ
宴会の席で「ライオンの昼寝」でもやってほしいんですかね?
先日おまえコソドロつかまえたろ
長崎で手配されていてなぜひ逮捕者のおまえの証言がほしいからきてほしいとの事だ
証言!?
あっしが五億円もらったか証言するんですか?
だれがおまえなんかにそんな金やるか!
むこうの署から交通費まで送ってきた東京《とうきょう》 長崎往復の汽車賃だ
ちぇっ飛行機でいくんじゃないの?
県警も予算は少ない送ってきただけでもありがたく思え

ところで長崎ってえと仙台《せんだい》の先でしたよね!岩手《いわて》のとなりかなんかで…
中川日本地図!
はい!
部長!いいスよそんなにていねいに調べなくても!口でいえばすぐわかりますから
よくみろここが日本だぞ
弱ったなアメリカ研修の再開だな!
東京はどこださしてみろ
やっだなーっ小学校の授業みたいじゃないスかまるで!
東京くらいわかりますよ!そこですよそこ〜にちゃんと!
だから指でさしてみろ地図の上に…
あ今思いだした長崎!そうあそこだっけ
東京をさしてみろといってるんだ!!

えーと
ここ……
…ら辺じゃなくてず〜〜っと下に……
さらに下にきて……
ずーと………
ピクッ
む
ここだな
ここです
ここ!
よし!
続いて長崎はどこだ!
まだ疑ってるんですか? まいったな ははは
ピ
九州《きゅうしゅう》の左の方ですよ
そう!!
完璧に思いだしました九州にあります

そうか……長崎は九州か！
当然じゃないすか常識ですよそんなもん
九州はここだったなっ両津くん！
ピタッ
はい！その通り…………
そこは四国《しこく》です！
何いってるんです部長！
そこは四国ですよ四国！
なかなか鋭いねでは本物の九州は？
それはですねえ〜〜〜
四国のとなりの島です！
110番
おい 中川！どうして両津のそばにいるんだ！
あっ別になんでも！

そうだ！この大バカ者！
まるでわたしに耳うちしてるようじゃないか！
まったく困ったやつですねえ
さあ九州はどこだ
四国のとなりのこの島です
ピタッ
よし！
本命の長崎はどこだ！
たしか左の方でしてこーきて………
ずーーっと………
ここですよ長崎はここ！
よろしい合格だ！
ここだ
ピクッ

夜行でいけば次の日の昼に長崎駅につく来週の月ようにつくようにしろ
ちょっとまってくださいよ
ここんとところ海じゃないスか船に乗りかえるんでしょ！
列車は海の下を通っていくから心配ない！
え――っ海の下！水入ってきちゃうでしょうが!!
おまえの心配にはおよばんよ
しかし地下鉄でも雨もりするんですよまして海の下じゃ…
大丈夫だといっとるだろ！
県警の松本《まつもと》係長に会うんだぞちゃんと手帳にかいておけ
はい はい えーと まつも…と
これはわしからの餞別《せんべつ》だ3日間の有給があるから長崎見物でもしてこい！
やった！こりゃどうもへへへ
亀有店
もつ焼
さくらや

長崎は雨だったなーんてね
キーコ
キーコ
キイ
よっ両さんじゃないか!
おう山下《やました》じゃねえか
ちょうどいい今 飲みにいくところだつきあえよ
それが給料日前なんでオケラなんだよ
あっ
あれ? ポケットに金が入ってた!?
Bar Select
Mr.JUNP
この——っ大金もってるくせに!
よっしゃいこういこう

えーーっ
旅行費用全部使っちゃった!?
つい 自分の金だとまちがえてしまって…
飲んだあとに気がついたんだけどな!
中川 たのむ 5万円貸してくれよ 来月 返すから!
えーっ
し しかし…
金あるだろ! わしの立場ないんだ 助けてくれよ
だめよ 貸しちゃ!
自分で使っちゃったんだから自業自得じゃないの

女の口出しする所じゃねえ! てめえ!
男なら自分の責任は自分でつけたらどうなの!
ピタ
うっ
こ このやろいわしておけば… く………
なによ
何してるんだ! そんなところで!
あっ いや!
あの 部長 有休をあと3日間もらえないスかね?
なぜだ?
早めに長崎へいって見聞を広めようと思いまして
そうか よし いっといてやる
じゃ明日から6日間休みますので!
うむ 気をつけていってこいよ

先輩！お金なしでどうやっていく気ですか？
自転車でいくんだよ ほかに何がある
本気ですか!?
男の意地だ やるっきゃねえ！
一度きめたらあとへは引かないからな…
おや!?
両さんじゃないか？

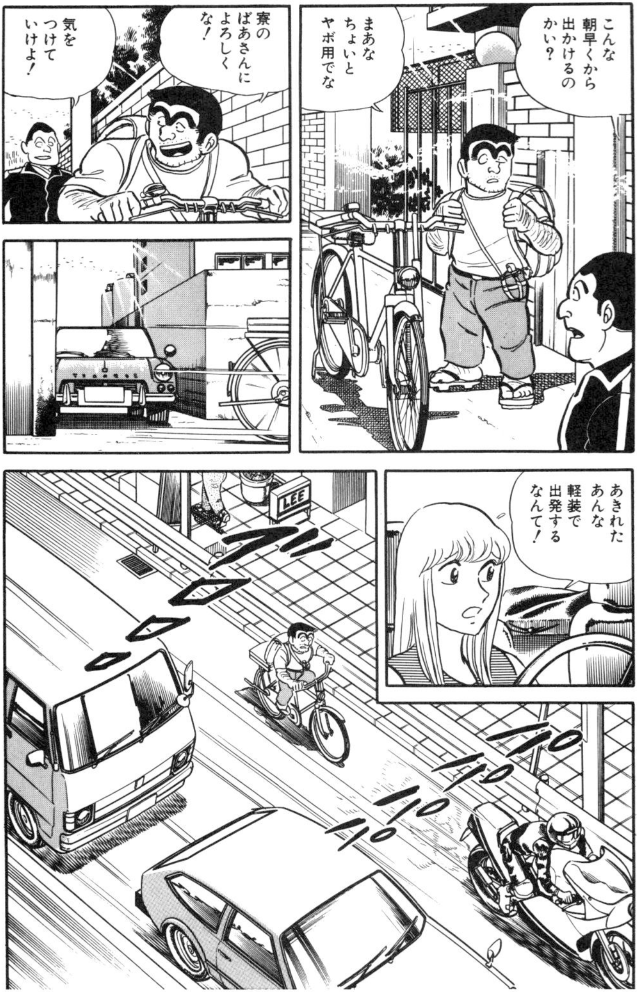
こんな朝早くから出かけるのかい？
まあなちょいとヤボ用でな
寮のばあさんによろしくな！
気をつけていけよ！
あきれたあんな軽装で出発するなんて！

ふう もう 12時か!
もう 小田原《おだわら》あたりについたんじゃないかな?
だれかにきいてみよう
兄さん ここはどこだい
下井草《しもいぐさ》ですよ 杉並区《すぎなみく》の!
杉並だって!?
まだ東京23区から出てないのか!?
ちょっと待ってくれよ! 少し 休もう!
7時間も走り続けて まだ 東京を出られんとは!
ガタッ
そういえば 銀座《ぎんざ》いったり 大手町《おおてまち》いったり さんざん迷ったからなあ
地図が読めればもう少しなんとかなると思うんだが…
ブロロロロー
プァーッ

それにしても ハラへったなあ……
一円も 持ってない からなあ
おなか すいて ダウン しちゃったの かしら
すみま せん!
えっ
この荷物 運ぶの 手伝って もらえま せんか?
今 旅の途中 なんだよ
まあ いいや ひと休み してた ところ だからな
どうも

おかげで助かりました！
よかったなじゃあな！
中ビル
よかったら食事をごいっしょに！
本当かよ！
思わぬでき事でメシがくえた！
ようしもうひとふんばりするか
ゴミ
ガチャ
バーゲンセ
これでよろしいのですか
どうもありがとう
やれやれ見張りも楽じゃないわ
横《よこ》浜《はま》

中華街
やっと神奈川県《かながわけん》か!
自転車ってのはしんどいな
横浜大飯店
マダムヤン本店
ブオオオッ
うわっ
あぶねえじゃねえかこのやろう
P.S
おおりてきやがった
GSX750S U.S.105
ペラ ペラ ペラ
わかるかってんだ動くGージョーめ!
ガッ
おっやるか!

★週刊少年ジャンプ1983年36号

両《りょう》さんの長《なが》崎《さき》旅《りょ》行《こう》②の巻《まき》

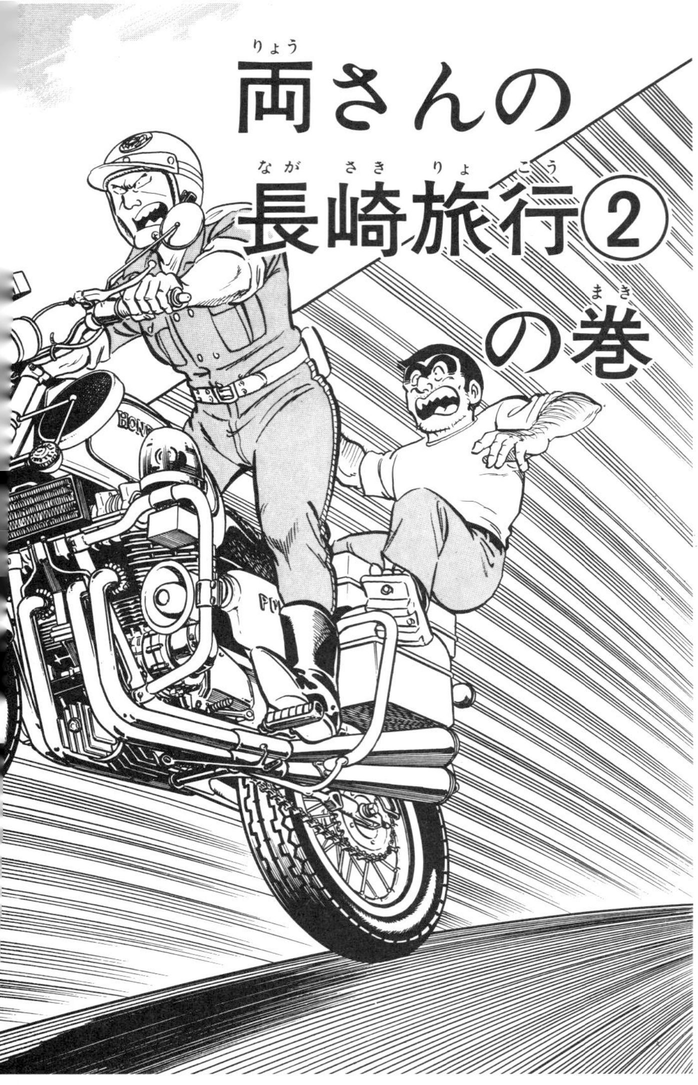

麗子《れいこ》がきてくれて助かったよ ケンカで自転車までぶっこわしてしまったしな
道のまん中でケンカしてるとは思わなかったわ!
しかしなんで横浜なんかにおまえがいたんだ?
別にショッピングにきていただけよ!
それよりどこまで送るの? そう 遠くまでいけないわよ
大阪《おおさか》までいってくれよ!
大阪?
大阪の警察署にしりあいがいるんだ
そこから先はオレがなんとかする

静岡30km
出口 本線
グオオオオッ
大阪どす
警察署
夏の交通安全週

ちゃんと長崎までいけるの?
大丈夫だよ たとえ歩いてでもいくから心配無用
じゃ長崎のおみやげまってるわよ
ブロロロロ
中川たちによろしくな
さて! ここで東京みやげが活躍する番だ!
各県警察用に用意してきたからな
これぞ世渡り上手の秘訣だ!
元祖東京名物 雷おこし
捜査第一課

なんや？東京の警視庁からわいを訪ねてきたやて
どないなやつや？
なんやゴリラみとうで眉毛《まゆげ》のつながったけったいな人ですわ
会計
交通課
ウメチカでバーゲンやってるんやて仕事おわったらいっしょにいかへん
ええなあいこ いこ6時に外でまってるわ
火の用心
どうも関西弁《かんさいべん》ってのは調子がくるうな
スチャラカ社員のドラマみたいだよ
両津さんやないけ！久しぶりやなあ
よう！梅田《うめだ》元気そうだな！
あれ!?

数年前の出張ではえろう世話なったさかいな
なーにいいってことよほんの手みやげだとっといてくれ！
すまんなあたった一回会っただけやのに
水くさいオレたちゃ友だちじゃないか！
ところでまだ昼メシたべてないんだよはっはは
そうかまかせとき！
たしか折りづめ弁当がひとつあまってたさかい
これだ！大阪ドケチ商法
せっかく大阪にきたんだから大阪名物をたべたいんだがな！
なんや？タコ焼きがたべたいんか？
ちがうでしょフグちりとか大阪寿司とかあるじゃないか！梅田く〜〜〜ん！
わわかったがなそんな目を血ばしらさんな！
かに道楽
かに
かに寿司
ズワイガニ

この道頓堀《どうとんぼり》は劇場や映画館や飲食店がぎょうさんあるところや
なるほどにぎやかなところだ
SHOCHIKUZA
逢いましょ
松竹座 プレイガイド
スーパーマン III
浅草六区《あさくさろっく》に似てるせいか心おちつく街だな
そうでっか
それより早くフグくおうフグたべたい
相当うえとるようやな
ほならこの店にでもしまひょか?
しまひょしまひょ
当り屋
あーら梅田はんどないしたん久しぶりやな
今日は東京からお客はんつれてきたんや

ほなら 奥の座敷 あいてるで
そうか おおきに
ほう大阪にも 新世界《しんせかい》や 国際劇場《こくさいげきじょう》が あるのか ますます 浅草《あさくさ》みたいだな
通天閣《つうてんかく》の たってるところが ジャンジャン横丁《よこちょう》 安くて よろしいで!
今日は 大阪に とまるん でっか?
それが 長崎まで いく用事が あってな
あんたの 顔で パトカーで 九州まで 送って くれよ
そんな事 あかん がな!
今 いろいろと うちの署も 騒がしくてな とても そんな事 できんわ!
そうか! どうしても だめか
次の手を 打つか! ちょいと 電話 借りるぞ
何 するのや ?
チン

本田か?
オレだオレ!
今 おきたのか?
非番?
そりゃ
都合が いい
今すぐ
むかえに
きてくれ
なっ
大阪の
道頓堀通りの
店で
まってる!
ムチャ!?
どこが
ムチャなんだよ
このやろう
東名《とうめい》210キロで
とばして
くりゃあ
3時間10分で
つくだろうが
400キロでとばせば
たったの90分だぞ
近いだろ
すぐ
こいよ
まってるぞ
近くに
しりあいが
いますのか?
まあ
〝おしん〟のように
忠義を
つくす部下
ですよ
ガチャッ
今日
あいてるので
したら 大阪を
案内しまひょか?
いいねえ
むかえが
くる間
時間が
あるからな

通天閣だ このあたり 下町情緒が あるやろ
ある ある いいねえ
みんなの願い交通安全
日立ルームエアコン
どうぶつえん
しかし 関西弁てのは おもしろいな 街中に上方落語家が 歩いてる みたいだよ
ムチャ いいよるなあ いい加減に しなさい!
今でもテレビで 大村崑《おおむらこん》の 「番頭《ばんとう》はんと 丁稚《でっち》どん」 やってるん だろ?
まさか あれは 昭和34年ごろ ですがな!
東京やて 「お笑《わら》い三人組《にんぐみ》」や 「若《わか》い季節《きせつ》」 やってるんやろ 今でも 白黒で!
ばか いうなよ やってるはず ないだろ!
こいつ 東京に対して かなりの ライバル意識 もってるな
そうやった! 東京では まだ テレビの普及率が 5%ぐらい やったな
文化の 中心は 大阪やさかいな ははは
ところで 今年は 阪神《はんしん》 調子 最高だね! とぶ鳥を おとす 勢いだね
ピク
福引き
サマーセール

せやな 岡田《おかだ》が いれば あんなクソ巨人《きょじん》なんて 問題外 なんやけどな
そう 岡田! 旧人類の 顔を もつ… いたねえ
巨人にも 怪物 江川《えがわ》が いますな 顔が 怪物の! 巨人に入団する ために ありと あらゆる手を使い じつに スポーツマンらしい 正せい堂どうとした さわやかな江川が!
ピク
そんな事 ありましたか… 今や かれは 巨人のエース ですよ
勝てば 正義! ええことばや 巨人らしくて 巨人ファンも 単細胞のアホ ばかりやさかい あの球団はほんま めぐまれとるわ
江戸っ子は 過去の事は うだうだ いわねえ主義! スカッとしてるのよ!
ほう それで あの半分 くさった ねばっこい 納豆なんて たべるのやな
大阪駅にいた 人たち みーんな 手にソロバンを もちながら 「銭や 銭や」と叫び 歩いてましたよ さすが 大阪
そ そりゃ 経済の 中心や さかいな
治安の良さも 大阪が 日本一ですよ 警察官の 信頼は 天下一品
人が死んでも 2年ぐらい 発見されない 東京の治安には 負けますわ はは
いやあ お互い気が あいますな カス大阪!
まったく でんがな クサレ東京!
甘味 喫茶
通天館
通

おっと
ドンッ
あンだらア
どーに 目ェつけとんのや ボケッ
気ィつけんかい!
文句あるかわれェーっ
ボケ!カス!スカタン
なんだ ありゃ 動く凶器か あいつは!?
大丈夫かいな両津はん
ちくしょうやっつけてやる!
ちょっとまちいなわてがやるさかい
何が"わて"だっオレがぶっとばされたんだぞ
いいから地元にまかせとき

ちょっと兄はん
なんやねん！
ボケさらせ！
浪花《なにわ》の梅田鉄五郎《てつごろう》やよう覚えとけわれえ！
なんやなんや
どっちが刑事《デカ》だかわからんなこりゃ
おい　梅田タッチ交代だ
ざけやがってなめさらすなおんどれ！
一発くらいなぐらせろオレが主役だぞ
ほいさ

あいたた！
なんでわしだけなぐられるんだ！
主役だからいつも勝つと思ったら大間違いやで！
漫画のパターンもかわっとるんやアホ！
おまちどうさん！

大阪中さがしたぜダンナ！
よけいな事するなまったく！
これから反撃にうつるところだ！
あっあれ？
ちくしょう逃げられちまった！
なぐられっ放しじゃねえかくそ！
それにしてもおまえさんもつええな
刑事は体が資本やさかいな
本田もよく きてくれたなえらい！
自分がよんだんでしょう
今 東京からとばしてきたばかりですよちょっと 休ませてくださいよ！
だからさっそくで悪いといってるだろおまえならできる！なせば なる！
ちょいとムチャいいなさんな！
さっそくで悪いがわしを長崎まで乗せてくれ
えーっ長崎まで！

きけば東京から単車できたゆうやないかそんなムチャしよりな
休ませた方がいいかな!?
よし　おまえ休め！3分間！3分後に出発する
無理ですよ！
よしなさいって店でも入ってちょっと休みなさいて
酒おごってくれるのか酒！
わはははは
わははは
よねや
よねや
クラス会
打ち上げ会
あんたいい人だね　わし　おごってくれる人大好き　がっははは　チャンバラトリオによろしくいっといて
バンバン
なんやゆうてる事わからんわこの人
東京をなめちゃいかんよ東京コミックショーがいるんだからね！

どうした
本田も飲め
ほら！
ぼく
バイク
ですよ
酒は
ダメッ！
何
かたい事
いってるんだ
こいつ
酒も
飲めんで
どうする
がっはは
両津はん
3升も
飲んじゃって
大丈夫
かいな？
もう
そろそろ
バタン
ですよ
キュッ
ほら
いつも
こうなん
ですよ！
極端
なんだわ
つきあえ
まへんで！
それじゃ
九州
いきますから
これで！
えっ
ほんまに
今から
いく気
でっか？
グオオオォ

★週刊少年ジャンプ1983年37号

両《りょう》さんの長崎《ながさき》旅行《りょこう》③の巻《まき》

両《りょう》さんの長《なが》崎《さき》旅《りょ》行《こう》③の巻《まき》

ゆうべ 大阪から バイクで きたんですよ ここまで
そうか 明け方に ここで 眠ったんだ もう お昼か？
結局 どこまで きたんだ おれたち？
3時ごろ 倉敷《くらしき》を 通過しましたからね
もう 広島《ひろしま》に 入っているんじゃないかな！
広島てえと 四国に きちまったのか？
どういう 地理感覚 してるんですか？
あと 一県 越えれば 九州ですよ
そうか よし！ さっそく いこう！
ガソリンが ほとんど ないんですよ この辺 スタンドが なかったから
ちえっ なんとか ならない のかよォ ガソリン くらい！

コーラで走らねえかな？やってみよう
だめだめそんな事したら！
よし！いい考えがある！おまえ違反車止めろ
えっ
止めてどうするんです？
いいからやれ！わしはかくれてるからな
そんなとばして大丈夫なの？
この辺は取り締りしてないのさ平気だよ
キキィ
あっやばい！

あの あなた スピード オーバー ですよ
すみません
おや おや どうか したんですか お巡りさん
この人が スピードを……
なにっ スピード 30キロも オーバーで 6点の 免停？
あーあー このタイヤ こりゃ 違法のやつだな！
整備不良で また 2点か…
おまけに エンジンは 2400シーシーに ボアアップ してるし
大型車と みなされ 脱税になるね これじゃ 免許取り消しだね………きっと
この人は 広島一こわい 鬼の白バイ男 だからね もう 一生 免許とれない かも……
そんなァ 勘弁して くださいよ
こうして 通りかかったのも 何かの 縁だ 私が説得して みましょう
お願い します

お巡りさん あなたも 仕事だと いう事は わかります しかし 人間 まちがいは あるもの ですよ
かれも反省して スピードを ださぬために ガソリンを 半分 すてると いっているから 許して あげて ください
はあ
そうだね きみっ! ガソリン 半分 すてるね
はあ いいです けど
しかし どうやって すてるん ですか
そう ねえ…
おや!
偶然 ポケットに ゴムホースが
きみも 気を つけて 帰りたまえ
どうも すいません じゃ
マンタン だから つい とばして しまうん だよね
半分なら 省エネ運転で 安全だよ

ブロロロロ！
まことに純朴な青年だいい人だ
いいんですかガソリンとっちゃって
ばか者！わけてもらったんじゃないか合法的に！
さあ一杯になったところで出発！
はいはい
キュルッ
ハラへったなあ本田！
朝から何も食べてませんからね
ドドドド
mazda
ヒバゴン探険隊員募集
12－13
8－18

おまえ金持ってきたんだろ広島名物食べようぜ
お金持ってきてないですよいきなりのよびだしですからね
お金持ってるのがわかったら一日で使われちゃうからな
ちょっとストップストップ
コンコン
キイイッ
どうかしたんですか？
のどがかわいた！あの店でジュース買ってきてくれ
XJ400
高岩商店
手ぶらできやがってふざけたやろうだ！
キーキー

あれ!? 白バイは?
ご苦労! さあ 食事に いこうか
Coffee 広島
白バイ どうしたん ですか?
むこうに 止めておいた さあ いこう!
美々卯
懐石料理
広島名物
なんだ! 先輩 お金持って たんじゃ ないスか?
まあね 正確には お金を 作ったんだ
そのため ここから 先は 電車で いく事に なったがな
えっ バイクじゃ ないの?
近くに バイク屋が あってな わりと いい値で!

返してくださいよ ぼくのバイクなんですよ！
しかしさっき買ったものだし……
HONDA
SAFETY SPORTS SHOP
ヤマハ
広島中央ホンダショップ
あきらめろ生きぬくため仕方ない事だ
あきらめられませんよ！
仕方ねえさっきの金で買いもどすよ！
少なくなってるぞ！
ちょっと使っちまってなまけてくれよなっ
なんで買い値より安く売らなきゃならないんだ
まけてくれたっていいだろうがおい！
ムチャなねぎり方だけど…先輩が勝つだろうな！

今日はこの街に泊まる事になりそうだな
また神社ですか？
そんなに神社がいやなのかよこいつ！
気味悪いですよ！
それなら畳の上に寝かせてやるよ
えっどうやって？

本当に
この家
先輩の
しりあい
なんですか
そうだよ
オヤジのイトコの
三男坊の嫁の
イトコのハトコの
タマゴのオヤジは
ピーヨコちゃんの
家だ
ガラガラ
なんか
信じ
がたいな
こんちわーっ
おっじ
さーん
いますかあーっ
はい！
どちら
さんかな
どーも
久しぶり
お元気
そうで
何より
はははは
はて
どちらの
!?
ほら！
東京の
オレですよ
やっだ
なーっ
忘れちゃっ
て！
ほら
おじさんの
好きな
東京名物
雷おこし
好き
だった
でしょ！

こいつぼくの友人の本田！ぜひおじさんに会いたいっていついてきちゃってははは
どどうぞよろしく
おばさんいる!?おばさん！
いるよ奥に！
そりゃよかった立ち話もなんだから上がろうかな
おっばさーん東京から遊びにきたよこんにちはーっ
本当にしりあいなのかなこの家
いやあ変わらないなこの家はうん！
昔のまんまだ！よかったよかった
東京からきたんじゃて!?

あんたの7番目の弟さん ほら たしか東京に!
ピク
すると おいの…ひろしくん?
そう!ひろし!
やっと思い出した
ひろしってだれです
よかったなあ 覚えててくれて!
そうか ひろしくんか! 大分 変わっちゃって わからなくなっちゃったよ
そうでしょ みんなそういうんだ 変わった! 変わったって
わざ わざ 宇部《うべ》まで 大変だったね
兵助《へいすけ》さんは元気にしてるかね
そりゃもう元気 元気 兵助さんは元気だよ!
兵助さんは去年亡くなったんじゃないの?
そ そう 元気に亡くなっちゃって…
そうか?

まっ 家の話は その辺で! 雷おこし たべてよ!
そうか! じゃ あける かな……
スイカ 好きだった わね 今 持って くるわね
どうも すいません ね!
先輩! 本当に しりあい なの?
年寄り だから ボケてんだよ しりあい だよ! 本当だ!
本当に おもしろい 人ねえ! ひろしくんは!
まだ まだ 話題は たくさん あるからね! 今夜は 徹夜で 飲みあかそう! ははははは
おじさんも もっと 飲んで! さあ
いやあ すまんね
どうも 戸の しまりが 悪いわね
ガタ…

どれ みてやるよ うむ少し 削った方が いい
カンナ あるか?
ガタガタ
お客さんが そんな事 しなくて いいよ
いいから こういうの 大得意! まかせ といて!
それじゃ 明日 九州へ いくの
はい ちょっと 用事が ありまして ………
また くるよ おじさん!
今日の 刺身は おいしかった からね! また 食べに くる!
まったく 度胸いいと いうか ムチャクチャ だよ
よく 寝てられる なァ もう…

それじゃ気ィつけていきなさいよ!
悪いね見送ってもらっちゃって
ドッドッドッ
ちょっと待ってて
なんだ早くしろ!
ドッドッ
どうしても…黙って行く気には…
じつはひろしくんは…
袖振り合うも多生の縁おかげでゆうべは楽しかった
なんぶりかに笑いがもどった気がした!
よかったら旅の帰りでもまた寄ってくれたまえ
どうもすいません
よく考えたら「ひろし」はまだ中学生じゃったよ
おい早くしろよ

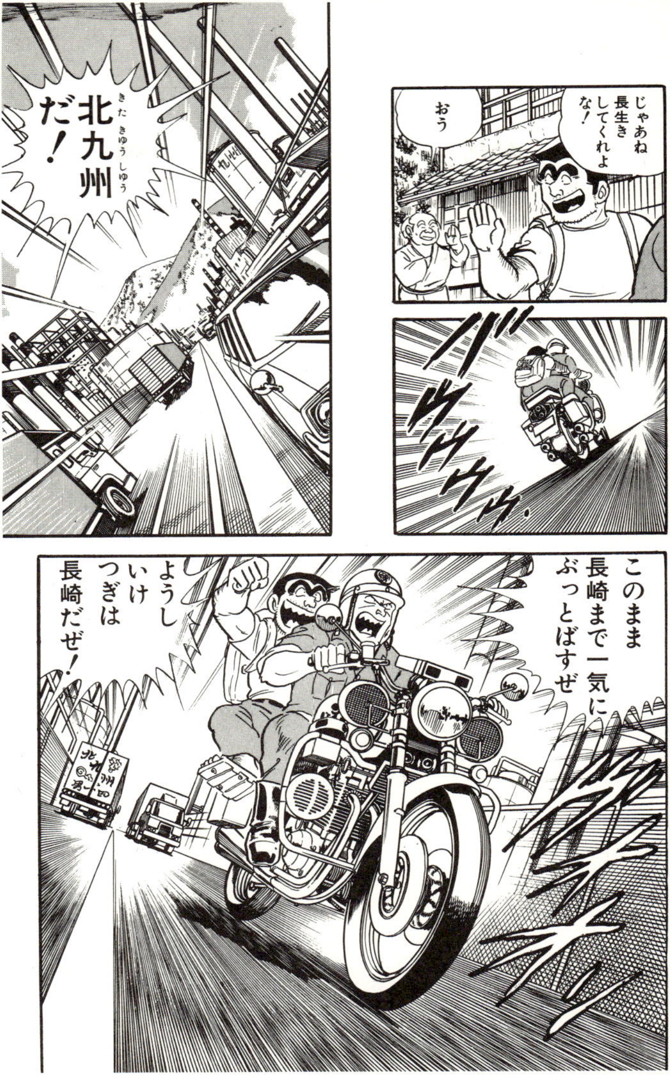
じゃあね長生きしてくれよな！
おう
北《きた》九《きゅう》州《しゅう》だ！
このまま長崎まで一気にぶっとばすぜ
ようしいけ
つぎは長崎だぜ！

★週刊少年ジャンプ1983年38号

両《りょう》さんの長崎《ながさき》旅行《りょこう》④の巻《まき》
これが平和祈念像ですよ
ほう
垂直にのばした腕は原爆投下された天を水平にのばした腕は大地をあらわしてるんですよ
おまえ長崎はくわしいな
修学旅行できた事ありますからね
わしらのころは京都《きょうと》だぞ時代がちがうな
それじゃ長崎案内できるだろたのむぞ
えっ県警はどうするんですか？

ご存じ
両《りよう》津《つ》勘《かん》吉《きち》

紅《こう》一点《てん》
秋本《あきもと》麗子《れいこ》

旅行《りょこう》④の巻《まき》

両《りょう》さんの長崎《ながさき》

県警は後でいい せっかく きたんだから 見物が 先だ！
証人として 長崎へきたと いってたのに いいのかな！
それにしても 暑いなあ！ このバイク クーラーついて ないのかよ！
それにしても バイクが 多い所だな
坂の街 だからね 長崎は 自転車じゃ 不便ですよ
みんな ヘッドライト 点灯したまま 走っている でしょう
本当だ 消し忘れか？

そんなもんありませんよ!
218 螢茶屋
長崎 カステラ
明治乳
長崎はバイクのライト点灯が義務づけられてるんです
ぼくも点灯して走ってると南国へきたという実感がしますよ
なるほどな!
グラバー邸《てい》

うおっ船がいっぱいみえるぞ
三菱《みつびし》造船所《ぞうせんじょ》ですよ
知ってるよ！「武蔵《むさし》」とか戦艦つくってたんだろ！
えっ？そうなんですか？
そういう話題は得意！プラモ作りで学んだ知識はダテじゃないぜ！
そういう事は異常にくわしいんだからな…
それよりアレ見ろよ！
え？

女の子ふたりで異国の地長崎旅行ハントしない手はない
えーっ本気ですか!
私におまかせ!ガールハントのテクニックを教えてやる
はあーい!お嬢さん方長崎は初めてですか?よかったらぼくが案内してあげましょう
けっこうですこの近くに住んでいるから
じ地元か…!
そそれは残念だな……ははは今度東京にきた時に案内してあげるよバイバイ
どうでした?
やめたああいうタイプはわしゃすかん!
両津さんですね
えっ

県警の者です
迎えにきたとです
ただ今発見しました
えっ なんでわしがわかったんだ
手配書が警視庁から届いてますけん
指名手配
両津勘吉
まゆげが太い
目つきが悪い
角刈り
Tシャツ
名所などにあらわれる
一見ヤクザ風 実は警察官
部長だ…おそろしい六感だな
行動すべてお見通しのようですね……

いやあ ようやく 万事終了したよ
よかった これで ひと安心ですね!
さて! また 今夜寝るところさがさないと
おい おい 今日はホテルだぞ
えっ 本当に!
警察の方で我われにとってくれたんだ
おまけに豪華夕食へも招待するってさ
やった! ようやく人並みの生活だ!

さあ　もっと 遠慮 なさらず どうぞ!
そりゃ もう 遠慮なんか してませんよ なあ　本田!
はっは は……
いやあ こんな珍しい ポックリ料理 じつに 美味ですよ
ポックリじゃ ありませんよ 卓袱《しっぽく》料理
なに!? スッポリ か? シッポコ?
我われ 長崎に 住んでいても 卓袱を食する 機会は　少なか ですよ
ふだんは ちゃんぽんや 皿うどん ばかり ですわ
こっちは うどんが 主だな
ずずっ
東京は ラーメンが本場! 今度　きたら いい店 案内するよ!
楽しみに してます
両津さん たちの 明日の 予定は?
予定 そんな物 なーんも ない!

そりゃよか！明日は この島原《しまばら》巡査が街を案内しますけん
どうぞよろしく
えっあんた婦警だったの!?
へえーっ
あたしゃてっきり課長さんのコレかと！
ばかな事いわんでください
ここだけの話婦警にはこんなのが多いの！
まあひどい
正覚寺下《しょうかくじした》ーっ終点です

ここから先いくと ずっとお寺ばかりよ 暑くて大変だけど大丈夫？
そりゃ もう体力には自信がありますから はははは
カラーン
コローン
なんでおまえ寺町なんか見物したいっていったんだよ
だって修学旅行でみなかったんだもの！
このやろう！なんでもっと明るい所をいわないんだ てめえ！
く…くるしい
ここが有名な崇《そう》福《ふく》寺《じ》よ
なるほど すばらしいなあ

なんで長崎にきてヤングのわしが寺巡りをしなきゃならねえんだバカヤロ
ガツ
あいた!
両津さんはお寺きらいだったかしら?
とんでもない!心が清められるような気がして大好きだなあぼくは!
どうかしたの?
あっいや別に!
すいませんね寺巡りの途中でおなかがすいちゃって!
いいのよ食事してからにしましょう

何か食べたいものある？
そうですね茶碗むしなんかいいなあ
じゃ浜町《はままち》で……
きゃあ——っ
なんてやつだ！まったく
びっくりしたわ
あっ
今あったおサイフが!?
おいちょっとまて！
あのやろう本田こいっ
はい
あっ両津さん！
あっ

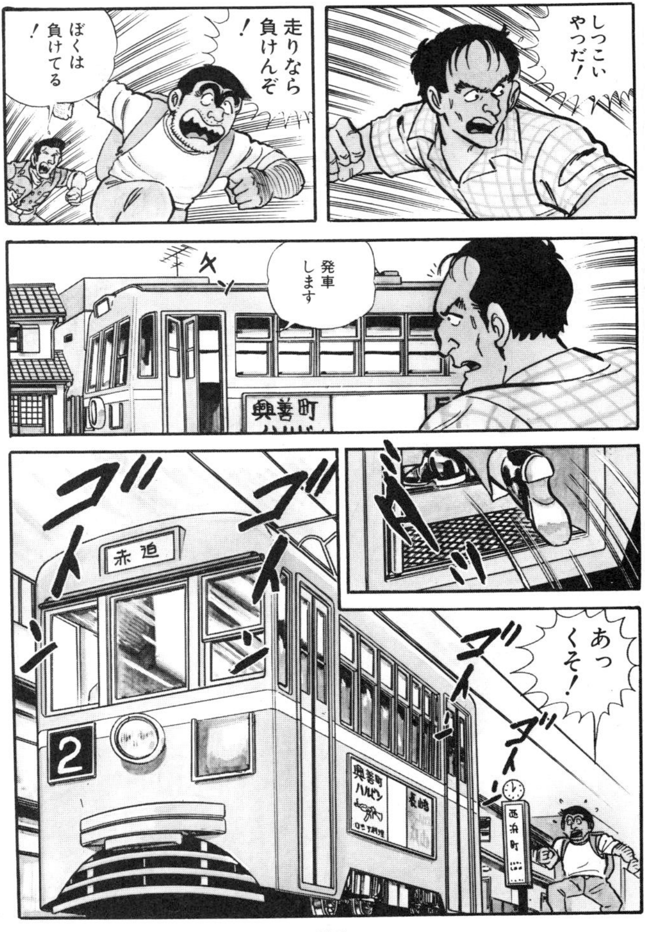
しつこいやつだ！
走りなら負けんぞ！
ぼくは負けてる！
発車します
奥善町
赤迫
ゴイーン
ゴイーン
あっくそ！
ゴイーン
ゴイーン
奥善町
ハルビン
長崎
西浜町

あきらめないぞ!
ダッ
うわあ——っ
ガッ
ツ
ドッ
こらっ止まれ!
この!市電め止まれ!!
ゴゴゴゴゴ
元から断たなきゃだめか!よーし!
これでどうだ!
パタッ

止まったぞ！
何事だいったい
うひゃっあいつは化け物だ！
このやろうつかまえた！
ふんぎゃあ
どこへきても相かわらずの迫力だなあ
これ東京行きのキップ2枚
ANA
犯人をつかまえてくれたお礼よ
やったあこりゃあどうもへへへへ

ねっ ぼくの バイク どうやって 乗せるの？
ん？
きみは 大地を走って 帰りなさい 私だけ 飛行機で 帰るから
えーっ そんな！ ぼくだけ バイクで！
白バイだけ フェリーで 送るとか したら……
何 いうんです こいつは バイクと 一心同体 です
ちょっと まってろ 渡すものが ある
長崎名物の カステラと ギヤマンの グラスだ
部長たちに よろしくな！ おそらく わしの方が 3日くらい 早くつくと 思うが……
それじゃ ぼく 先に いってます
おう 気ィつけて 帰れよ！
かわいそう じゃない あの人
バイクの旅は ひとりが一番！ 邪魔しちゃ 悪いよ

★週刊少年ジャンプ1983年39号

両《りょう》さん？の巻《まき》

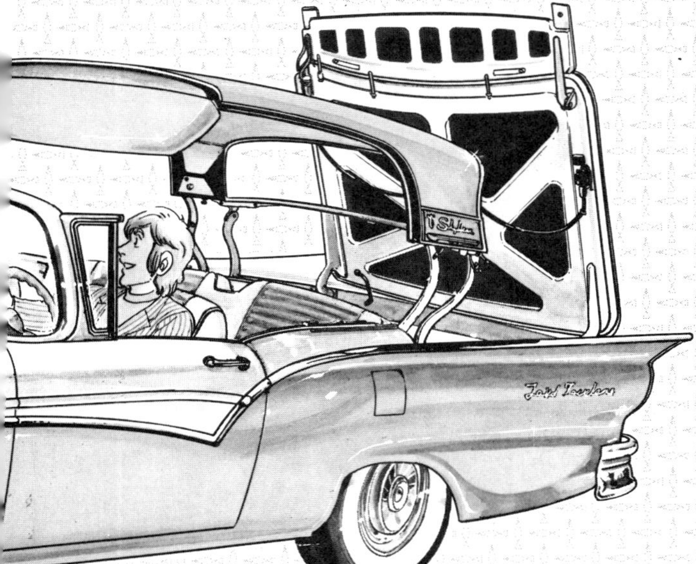

1957

Ford Fairlan500
SkyLiner

OHV V8
4200rpm

さよなら

なにっ両津が行方不明だと!?
2日前に飛行機で東京へむかったはずらしいんですけど…
今になっても署にもどってきていないんですよ
今夜仕事が終わったらみんなを集めておけ!
なぜです?
行方不明のお祝いだ飲みにいこう!
はく情だなあ

両ちゃん飛行機にのったの？
先に帰ったからよくしらないけどキップはもっていたよちゃんと！
キップ落としたんじゃないのいい加減な人だからな
ありうるな九州で足どめになってるかもしれない
無一文のはずだよ宿代や食事代ももってないよ
先輩なら道路で寝たり草や木の根を食べながら生活はできるはずだよ
動くサバイバルだものね両ちゃんは
あきもと
味じまん
海鮮鍋
あきもと
ラーメン天国
ラーメン・餃子・つけめん
サラリーローン

じゃあ かんぱーい
いやあ 今日は じつに めでたい
「警視庁の悪魔」と いわれた 両津が行方不明 消息を絶つ
なんと すばらしい できごとじゃ ないか！ ははは
今にして 思えば かれも いい警察官 だった！
今後とも かれが発見 されない事を 願って 今夜は 飲もう わしの おごりだ わはははは
シャレとは 思えない よろこび 方だ
部長 別に亡くなった わけじゃ ないんですよ
わかってる あくまでも シャレだ シャレ！

ジオラマ派出所
おはよう
おはようございます
麗子くん近ごろわたしの顔色いいだろう?
ええそういえばそうですね
両津がいなくなってから食欲があってね夜もよく眠れるんじゃよはははは
今お茶いれてきます
うむ

しいーーん
この顔に
ピンときたら110番
小六法
両津がいないとずいぶん静かになるものだな
両さんいる？
なにか用か？
まあ　これでわしもおこる必要がなくなったわけだからな血圧も下るだろう

ラジコン こわれちゃったん だけど…… 両さんは?
あいつは もう やめたんだ!
ちぇっ 両さんなら すぐ 直せるのに
しょうがないや 帰ろう
まて! わしが みてやろう
無理だよ おじさんじゃ
なんの 昔 真空管 ラジオを 組みたてた 事が ある!
時代が ちがうよ よした方が いいと思うよ
両津に できて わしに できん事は ない!
ぐわっ
ほら いった通り じゃないか!
大丈夫? 部長さん!?

両津は あのラジコン 直せる わけか!?
そう らしいわね よく 修理してた わね
まあ どんな バカにも ひとつくらい とり柄が あるからな
ギラッ
うわっ
は 派出所に 強盗か!! さあ こいっ
包丁 といで ほしいんだ けど いいスか?
ばか者 なんで派出所で 包丁を とがなきゃ いけないんだ
両ちゃんが やってたのよ アルバイトで ……
何 考えてる んだ あの男

包丁ぐらい自分でとげばいいだろ!
いやあ両さんにといでもらった方が切れ味がいいんです
帰れ 帰れ 両津はもう いないんだ!
そういえば昨日も鍋の穴直してほしいってきてたわ商売としては繁盛してるようね
まったくけしからん派出所を出店にするとは
4日後
あれから一週間にもなるけど依然 消息がつかめませんね
まったくどこをほっつき歩いているのかあのバカ!
GIジョー
サンダースセット

あのう この電気釜 直して…
ガタッ
あっ いや! 今度に します どうも!
ツカ ツカ
部長さん 近ごろ 気が たって きたわね
いかりを おとす 避雷針が 行方不明 だからね
こらっ なんだ これは!
ピタッ
こんなとこに ゴミが 落ちてるぞ
はい すみま せん!
中川! なんだ その髪は 長すぎる ぞ!
は はい?
おまえたち 最近 たるんでるぞ 気を ひきしめろ

参ったなあ
矛先《ほこさき》がこっちに変わってきた
おこれないからストレスがたまるのよ
ぼくの髪なんか昔からこの長さなのに
両ちゃんがいたころは悪い事すべて集中させていたから私たちは眼中に入らなかったのよ
それがいなくなったとたんぼくらが目立ちはじめたってわけか
昼間の星みたいなものだな
GIジョー発売か!?
あっ まさか これ先輩じゃ…!!
え!?
なんだと! 両津がいたのか!?
えっ そうじゃないかと…
北九州の関門海峡《かんもんかいきょう》で身元不明の水死体が発見される
泳いで帰る可能性あるわよ
中川 すぐ問いあわせてみろ!
はい!

まったく！電話一本でも入れればこんな心配せんのに！まったく…
近ごろ派出所にだれもこなくなったわ
刃物とぐのや修理 プロなみだって 近所の奥さん方いってたわ貴重な人だって…
あんなバカでも世の中の役に立ってるんだな……
通じませんけど……
直接署にいって連絡しろ！
ガンマひとこけ10万円
4回半こければ新車が
買えてしまうのだよ
警視庁
トヨタ
いなけりゃいないで世話のかかる先輩だな！
あっ

先輩！
よう久しぶり！
元気そうじゃんか！部長も元気か！
どうやって長崎から帰ったんですか!?
いやあ長崎空港でキップ落としちゃってさ参ったよ
仕方なく空港の外へでたらタクシーがきてよそれに乗ったんだよ
東京までツケでいってくれよ！
お客さん冗談でしょう！
運転者募集
¥430

本気だよ 東京から きたんだが 帰らんと いかんのだ
え! 私も 生まれは 東京ですよ 浅草で
何! わしも 浅草だぞ 吉原《よしわら》だ!
私も 吉原! やった 同じだ!
…とまるで 漫画のように 偶然 いっしょでな
たちまち 意気投合 して
ツケで東京まで ドライブって わけよ
そりゃもう 楽しかったぞ
どうせ 休暇すぎちまったんで のんびり行こうってな
島根県《しまねけん》で 出雲大社《いづもたいしゃ》に 参拝したり
京都《きょうと》では 芸者をあげて 大騒ぎをしたり
名古屋《なごや》では 城見物を したり
ついさっき 署にもどって きたわけよ なっ おまえ!
はい そんな わけです

そこで 悪いが
この運ちゃんが
立て替えた金
返してやって
くれ 46万円
それどころじゃ
ないですよ！
部長なんか 先輩
死んじゃったん
じゃないかと
心配してるん
ですよ！
え――っ
なんだって！
今の話
聞いたら
先輩
生きてられ
ませんよ
きっと
やばいな
どうしよう
中川
楽しい
ドライブ
旅行してきたん
だから
そのくらいの
報いは……
仕方ない
ですよ
ひと事だと
思って
無責任
な!!
考えるんだ
自家製
コンピュー
ターよ！
この場を
どう切り
ぬけるか
考えろ！
カチャ
カチャ
カチャ
カチャ
カチャ
カチャ
カチャ
ピ
むっ
でた！
これだ！
いいか
中川も
口裏
あわせろよ
どう
する気
ですか!?
ビリ
ビリ
ビリ
ビリ

交通安全週間
中川からも連絡ないし どうしたんだ いったい
先輩が帰ってきました
なに!?
ど… どうも 部長 両津巡査長 たった今 長崎より もどりました…
どうしたんだ そのかっこうは!?
ヨロ
ヨロ
と… 途中でキップと金を すられ 歩いて ここまで…
なんだと!
麗子くん 水だ 早く!

もう…だめだ……
おい しっかり しろ！
ドタッ
どうして署に連絡しなかったんだ！県警に事情を話せばよかったのに………
いや…自分の不始末は自分でつけねば
しかし遠かった…長崎から東京は…
苦しい時は部長の顔を思い浮かべがんばろうと……
そうか！そうか！ほら 水だ
う うま…い ここ数日草しか食べてなかったもので…
よく 帰ってきたぞ両津！
おまえがいない派出所なんてじつにさびしかったぞ
そ そう ですか
先月 部長 愛用の有田《ありた》焼《や》きの湯飲み割れてましたよね……
うむ

あれ 実は 私が 割ったんです
なにっ
うっ 苦しい… うっ
ゴホ ゴホ
大丈夫か! 許すぞ そんな事 気にするな!
苦しい時は 部長の顔を 思い浮かべて…
そうか!
わかった わかった!
部長の クツの中に オシッコ入れたのも 実は 私です……
ピク
ま… まあ いい! 気にするな
しかし 数日 物食べて ないわりには 顔色が いいんじゃないか?
えっ そ… そんな事 ありません……
おや ヒゲが 落ちた
両津さん タクシー代の 方は まだ でしょうか?

タクシー代だと？
はい 九州から東京までずっと
うちの署は金持ちだからと各地で豪遊しましてね 私までごいっしょに！ 代金の46万円お願いします
おや 体が元気になってきた…… いやあ よかった よかった
両津… 今の話は… 本当か…
じゃ あっしは署へ出張の報告しにいってきやす！
きさまなど消えてなくなれ！ もう二度ともどってくるなこいつっ！

★週刊少年ジャンプ1983年40号

ニュー中川《なかがわ》！の巻《まき》

中川《なかがわ》！の巻《まき》

ニュー

やった大成功！
すごい上昇力だ
うーむかっこいい！
高かったがやはり買ってよかった！
あっ見えなくなっちゃったぞ
おい戻れ！カムバック
おっ来た！
よしそのまま着陸だ！静かに下降しろ！

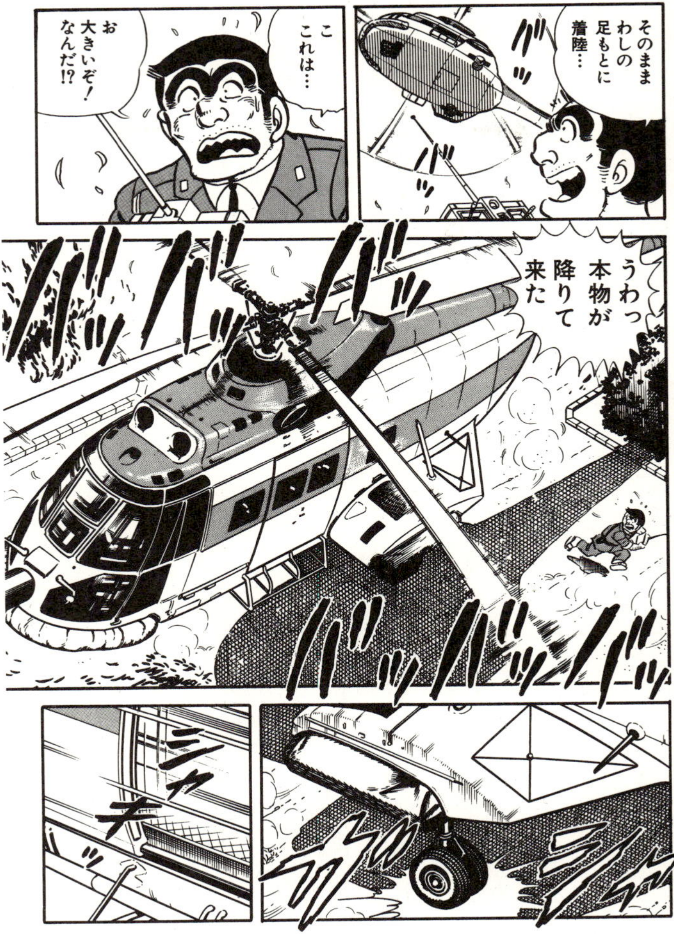
そのまま
わしの
足もとに
着陸…
バババ
こ
これは…
お
大きいぞ!
なんだ!?
うわっ
本物が
降りて
来た
ババババババッ
シャ
ズシャ

いやあ先輩どうも!
なんだ!?
中川か!?
遅れそうだったのでヘリで来ました
ずいぶんイメージが変わっちゃったじゃないか?
デビュー以来ずっと同じ服装でしたからね 7年もたつと流行も変わってきますよ
TOKYO POLICE
そこで現代風にマイナーチェンジしたんですよ

あっ そうだ!
そんな事より わしのヘリしらんか
!?
そういえば さっき小さいのが向こうに飛んでいきましたが……
ダッ
30万円もしたヘリだぞ なくしたら大変だ!
ふだんは100円の金にヒイコラいってるくせに!
どういう金銭感覚してるんだろう いったい?
いやあ! 無事でよかった! 一時はどうなったかと思った
そんな大切な物なら飛ばさないでしまっておいた方がいいんじゃないですか?

しかし 前とくらべると ずいぶん さっぱりしたな
昭和51年ころ
銃も かえました M《エム》29から M《エム》659へ！
おっ すごい
以前のM29も いい銃だったのですが 仲間がみな難聴になりましてね
M29の銃声が 少しょう うるさかったらしくて……
そこで この9ミリオートにしました 少しょう 自分好みに 手をくわえましたがね
アジャスタブル リアサイト
ダブル サム セフティ
ダブルアクション ショート ハンマー
ロング スライドストップ
レッドライン入り コンバット フロントサイト
SMITH & WESSON
ロングバレル カッツコンペンセイター
スナッピング トリッガーガード
ヘビーウェイト オリジナル ラバーグリップ
ランヤードリング
S&W M659
麗子さん 銃は？
もってないわよ
それはいけない！ 女子と いえども 治安を守る 者として 一丁くらいは
そうだ それは いえる
ベレッタ ジャガー モデル71 美しい 銃だろう
女の子用

中川！ わしのは!? わしにも くれ！
え？
もちろん！ ですよ まかせて ください ピッタリ なのが あります
へへへ やった！
ケンタッキー 火打石式《フリントロック》 ピストル です
こんなもので 銃撃戦が できるか
先輩は 渋めが 好きだと いってたから
わしは 古美術業者じゃ ねえぞ もっと 最新式の やつを よこせ！
はいはい それじゃ リボルバーの 中から
明治《めいじ》二十六年に 作られた 二十六年式 回転式弾装 拳銃は どうでしょう

もういい! お前のセンスはわかった! わしが選ぶ
両ちゃん 100連発の巻弾銃はどう?
そんなもんいらん!
決めた! これがいい!
オートマグですか? 昔 流行った銃ですよ それ!
でかくてパワーがあり わしにピッタリ
デビューした当時は最強の44マグナム弾を撃てる自動拳銃《オートマチック》として注目をあびましたが……
装弾不良が多くて今じゃ生産中止の最悪銃……
うるせーな わしがいいといったらいいんだよ
は はあ……

これを二丁持ってればこわい者なし！ゴジラとでも対抗できる
先輩なら素手でも対抗できますよ
はい！こちら公園前…
大変だ！基地に強盗がたてこもってるそうです！
なんと！まるで漫画のようなタイミングの良さ！

早く言われた通りにしろ!
うわっ
ガガガガ
ひゃあ
キイ!
こんな所までヘリをもってきて!
心配で派出所においておけんよ!

状況はどうだ
むちゃな要求なんですよ
1億兆円現金で持ってこないと泣くぞ!……と叫んでまして
うーむまるでタラちゃんだな
おーい早くしろ本当にこいつは泣くぞ!
う…う……
くそ〜〜〜っ無視してやがるな
しーーーーん
どうしよう兄き!
金を出さないとこいつを殺すぞ!いいのか
ひええーーっ
助けてくれ〜っ
あのふたりほっといていいんじゃないのか?
武器を持ってますからほっておくわけには……
あんなの相手にするから図にのるんだ無視 無視!

せめてこの催涙ガスを頭上にまければ…
ん？
それなら簡単じゃないかわしがやってやるよ
本当ですか
バババッ
バッ
なるほどヘリで犯人のところに！
真上で中川にカンを撃ち落としてもらえばいいわけよ！
兄き何か来ますぜ
バババ…
ドド
わしゃ動く物がきらいだ！
ドド
ビシ
ビシ
ビシ

あっ
犯人がヘリを……!
わしのヘリが!!
先輩あぶない!
フラ
フラ
わしの…ヘリを……
ふら〜り
こらっ来るな!

ピタッ
ひいっ
逃げろ!
ドカドカドカ
ドカドカドカ
ガーン
カチャ
カチャ
先輩!?

ぬうっ
うわっ
すごい殺気だ!
PA-90
ここまで逃げれば……
ヘリ〜〜
ひゃーっ
AR-15
EXIT
そっちのドアから逃げろ!
ひゃっ
EXIT
ヘリコプタ〜

うわっ化け物！
ヘリ〜〜コォプタ〜
ぎゃあ——っ
許してくださ〜〜い
ナンマイダブ
ナンマイダブ
ヘリ〜〜
こわし〜たァア
ふら〜
じゃっ漫才やりますからねっ！
この帽子ドイツんだ？
それはオランダ！
ぎゃーああっ

間にあった！
あれ？わしはどうしてここに？
よかったですね新しいヘリがもらえて
いくら部長からのプレゼントでも……
これはまるでビックワンガムのおまけだ！わしのはラジコンで30万もしたんだぞっ
今回はそれでがまんしてくださいよ

★週刊少年ジャンプ1983年41号

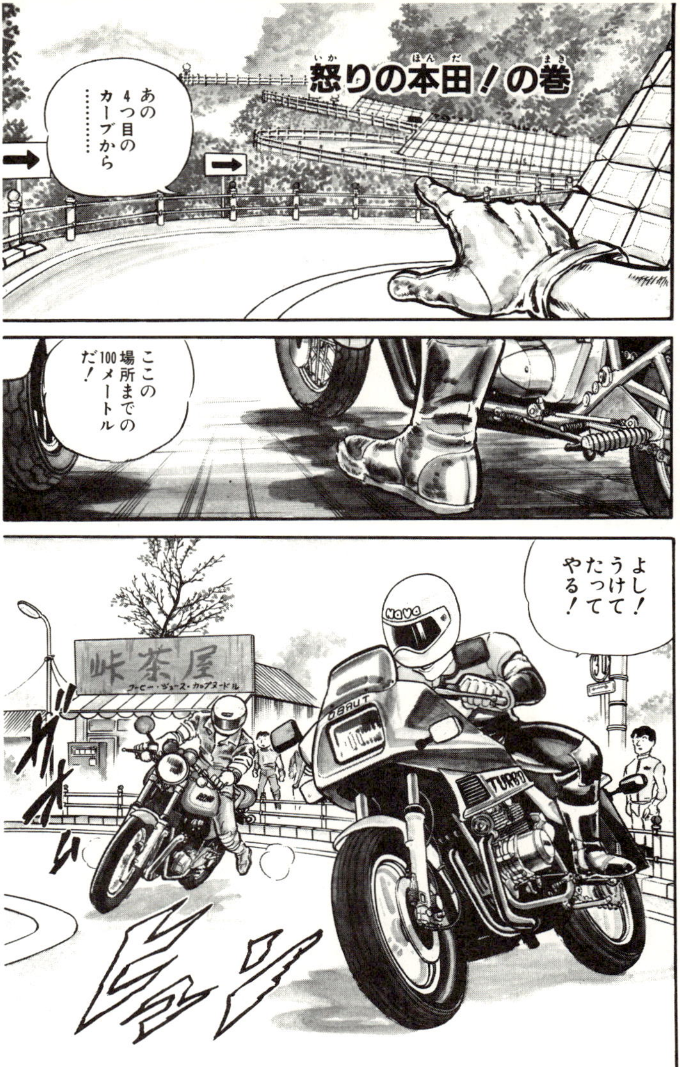
怒《いか》りの本田《ほんだ》！の巻《まき》
あの4つ目のカーブから……
ここの場所までの100メートルだ！
よし！うけてたってやる！
峠茶屋
コーヒー・ジュース・カップヌードル
TURBO

怒《いか》りの本田《ほんだ》！
の巻《まき》
30

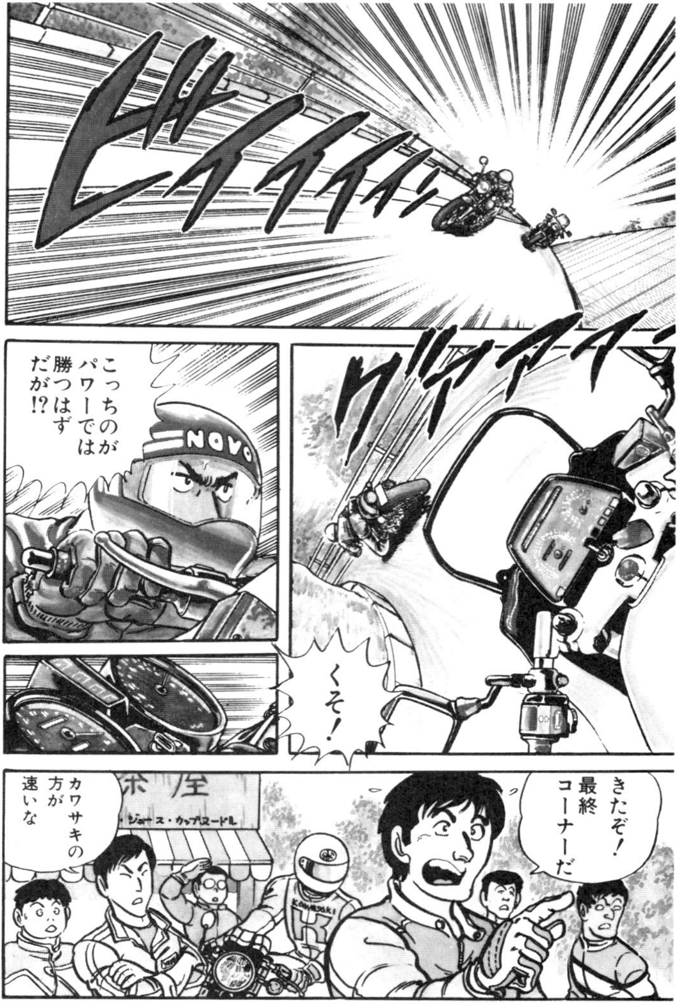
くそ!
こっちのがパワーでは勝つはずだが!?
きたぞ!最終コーナーだ
カワサキの方が速いな
茶屋
ジュース・カップヌードル

負けてたまるか!!
うっ
TURBO

また事故ったぞ!
ワァア
もったいねえ!
ガヤガヤ
ギャッ
次はどいつだ!
もう いないようですけど……

また明日同じ時間にくるぜ!
すごいテクだなあの人!
まさに峠の走り屋だ
キロ当り130円ってところだねアンちゃん
ちくしょう

なに 猿町峠《さるまちとうげ》で 事故多発だと！
最近 あの峠で レースやってる らしいんだよ
そんな事 してるから あちこちの峠が 閉鎖され ちゃうんだよ
パワーのある 新型バイクが どんどん 出るから そういうところで 走るんだろ
バイクも 車も パワーが あまって 走ってる時代 ですからね
かっけえ バイクに 乗ったら つい とばしち まうのが 人情じゃねえか
人情で 事故起こされ たら たまり ませんよ
そんな事より これ 見ろ！ 1/12バイクの ジオラマ すげえだろ ……
先輩は のんきで いいよ！

勝った!
ワ
ワ
峠茶屋
すごい速さだ
あんな古い
バイクに
負けるとは
くそ!
HONDA

ほかに挑戦者は!?
今回はもういないようですが…
またくるぜ
走り屋だなあ!かっこいい
いったいどんな人なのかな?
それでさ
あはは
……

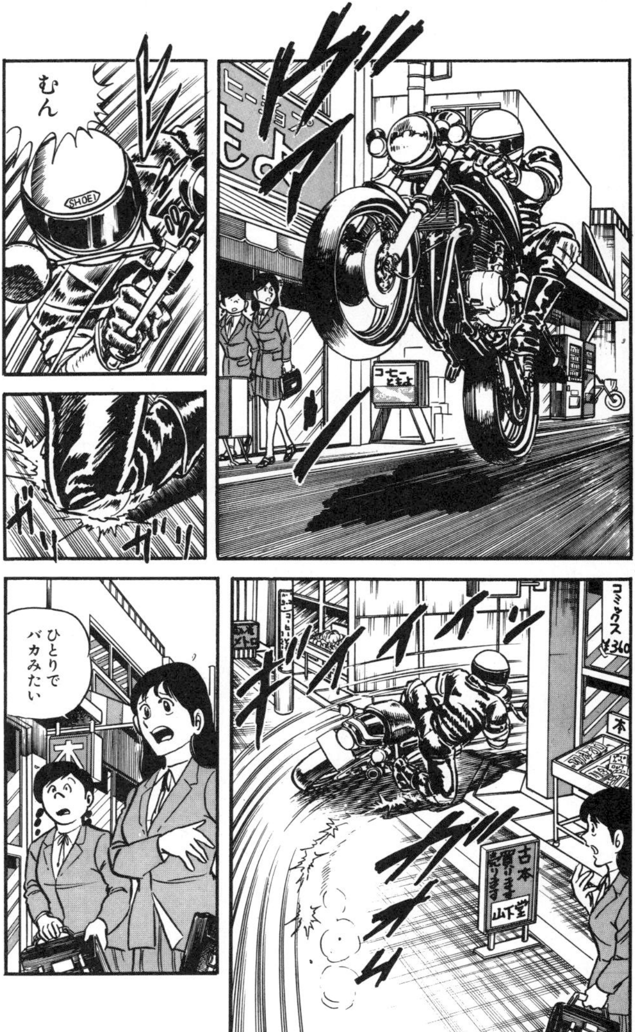
ともよ
コーヒー ともよ
むん
ガリ
ガリ
コミックス ¥360
本
古本 買います 売ります
山下堂
本
ひとりで バカみたい

ふっ
憎いぜ
オレも！
シティで
ハングオンを
披露
するとは……
バルルル
ヒラリ
はっ
ぐおっ

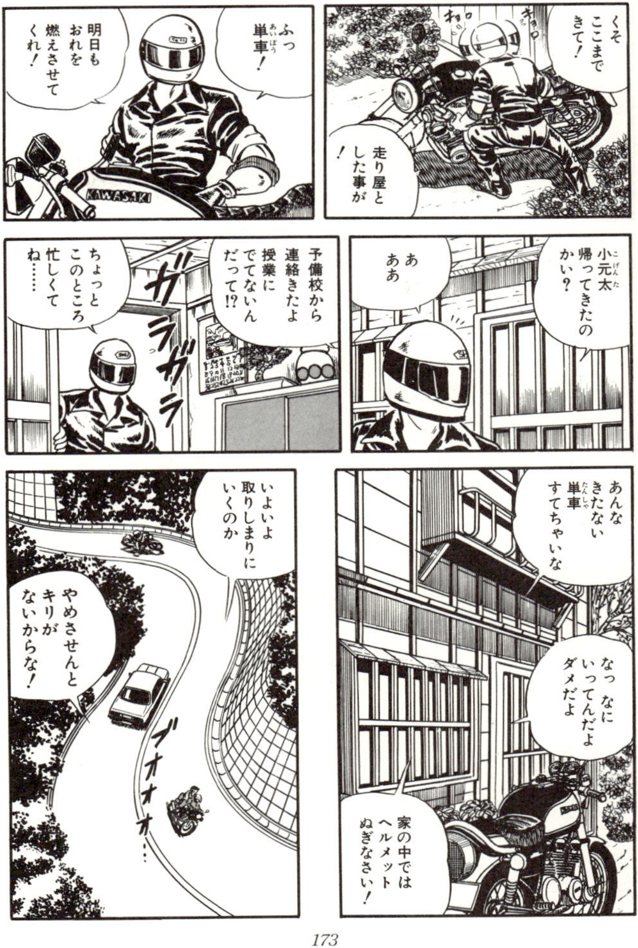
くそ ここまできて！
キョロ
キョロ
走り屋とした事が！
ふっ 単車《あいぼう》！
明日もおれを燃えさせてくれ！
小元太《こげんた》帰ってきたのかい？
あ ああ
予備校から連絡きたよ授業にでてないんだって!?
ガラガラ
ちょっとこのところ忙しくてね……
あんなきたない単車《たんしゃ》すてちゃいな
なっ なにいってんだよダメだよ
家の中ではヘルメットぬぎなさい！
いよいよ取りしまりにいくのか
やめさせんとキリがないからな！
ブオオオ…

なんで本田ひとりでいくんだよ
バイクの事ならオレひとりで十分だ
だいぶ集まってるな
ビイイイイイン
レースは中止だ!
ようおまえら帰れ!
ブロロロ‥
警察のでる幕じゃねえぜ!
なんだと!
どうしても帰したきゃオレと勝負しろ
ばか! 現役の白バイ隊員にかなうとでも思ってるのか
こっちもこの峠じゃうるさい走り屋だ五分と五分だ

アホか! 本田とおまえ 比べたら 九分九厘と 一厘だぞ!
ダンナ いいから
こういうやつは 口でいうより 体でわからせた 方が いい
相手になって やるぜ!
上等だ 交機の 実力を 見てやるよ
白バイと 走り屋の 一騎討ちだ!
こりゃ 見もの だぞ!
おまえのは 750シーシーで こっちは 900シーシー
ハンデつけ 2気筒だけ 生きてりゃ 十分だ
ばかいうな おまえの 負けだ
負けか どうか やってみろ
後悔 するぜ!

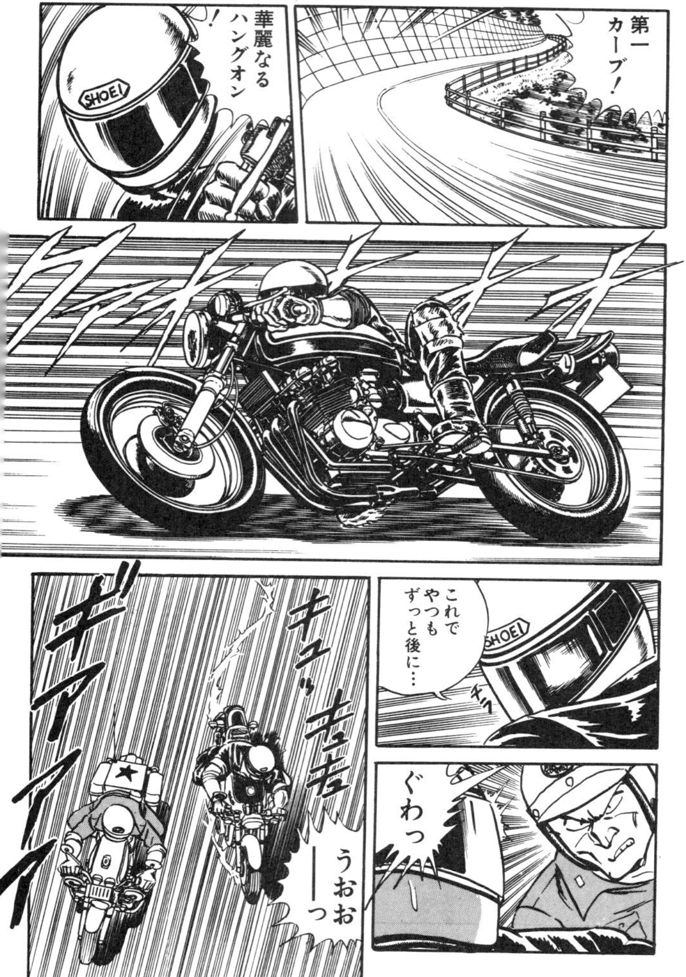
第一カーブ！
華麗なるハングオン！
これでやつもずっと後に……
ぐわっ
うおお――っ

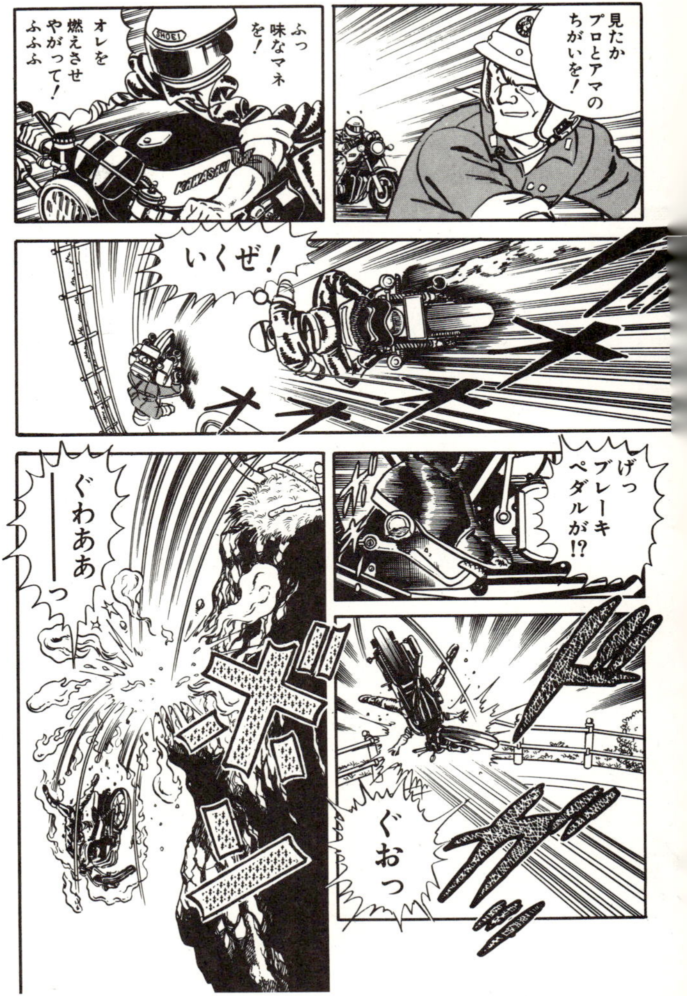
見たか
プロとアマの
ちがいを！
ふっ
味なマネ
を！
オレを
燃えさせ
やがって！
ふふふ
いくぜ！
げっ
ブレーキ
ペダルが!?
ぐおっ
ぐわああ
——っ

本当に燃えやがったあいつ!
ボオオオオ
やったやった!
その後峠の走り屋は 2度と現れなくなつた
その後ある予備校で
グリコ予備校
髪にヘルメットのあとをつけた男が こまめに授業を受けていた
めざせ!有名私大
また小元太くんが一番か!テストの時はいつも早いな!
冬期強化テスト 12時へ1時
はい!早さでは人に負けた事がありません!
土 国語 片岡教諭
金 ペン字 佐々木教諭
水 図画 富沢教諭
マージャンしてちゃ落ちる!
早くてもまちがいが多いんだよね!2サイクルみたいにスパン スパンした頭だからね きみは!

★週刊少年ジャンプ1983年47号

人間 顔じゃないの巻《まき》

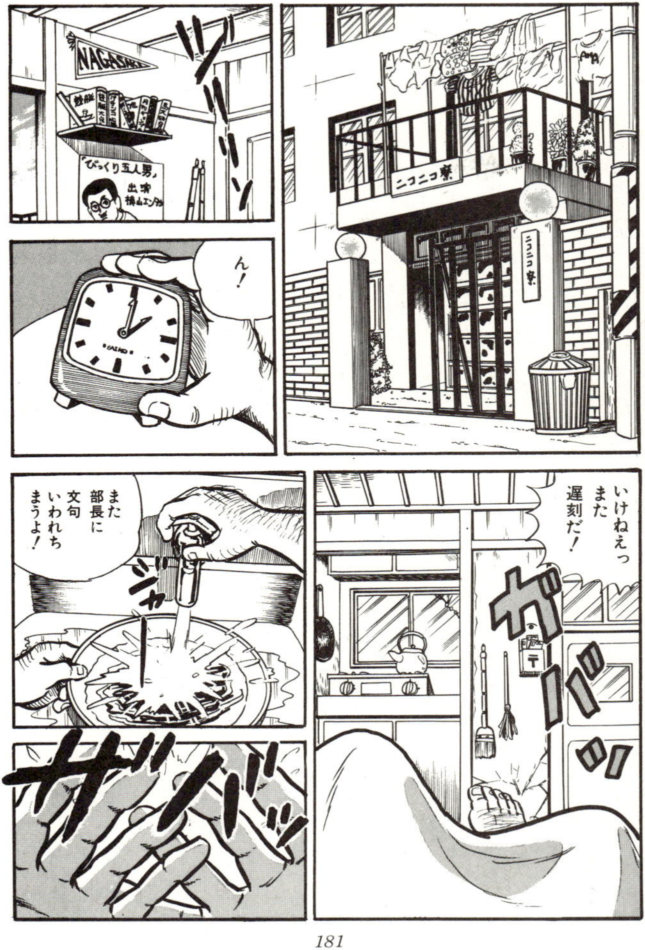
ニコニコ寮
ニコニコ寮
NAGASAKI
「びっくり五人男」
出演 横山エンタツ
ん！
いけねえっ また 遅刻だ！
ガバッ
また部長に文句いわれちまうよ！
ジャー
ザバ

ふう さっぱりした!
制服 どこだ!? 制服は?
あった あった
いざっ 出発!
ダダダダ
うわっ
なんだ あのやろう
おっ 外はいい天気だ
ガチャ
よっこらしょっと

うーむ
風も
涼しい時期に
なったな
おっ
学校帰りの
女生徒
コーヒーショップ
しげとくん
はあーい
お嬢さん
！
きゃあ
——っ
また
びっくり
されちまったぞ！
なんなんだ!?
わしの顔に
何か
ついてるのか
何も
ないぞ
おっと
そうこう
してる間に
派出所に
ついた！
秋の交通安全週

キイ!
はい 到着!
ガッタン
よいしょ!
やあ しょくん おはよう!
先輩 その顔は?
え?
顔に 何か ついてるの か?
あっ!
どうも まぶたが 重いと思ったら すげえ はれてるなあ
物もらい じゃない かな…?
両目 なるなんてね
9月

麗子くん お茶を
うおっ!
消火器
なんだ その顔は おどかすな!
朝 起きたら こうなっていたんですよ
病院でみてもらったら
病院か…好きじゃねえが いってくるか!
保険証もったの?
そんなもん もたん!
自費だと高いのよ 机の中にあったわ はい!
なんだ これ 初めて見た?
総合病院 ココ
THE BYOIN
国民健康保険
3割4割引きは当たり前
総合病院
モーニングサービス 薬+注射・1,000
あれでよく社会生活ができてますね
子どもと変わらんからな 4歳児と同様だ

うーむ
バイ菌が入らぬよう眉毛をそった方がいいな
えっ眉毛を！
他に痛いところあるかね
そういえば数日前から歯が痛いんですよ
それはいかんなすぐ検便をしたまえ
なんで歯痛《いた》にクソが関係あるんすか！
きみ！医学の素人が口出しちゃいかん私は プロだ！ドント ウォーリーだよ
たべ物の入口を調べるには出口を調べる！アインシュタインの左手の法則だよ
はあ
動くと鼻をきっちゃうよ！
あいたたそこは髪の毛！
ズイッ
お薬代15万800円です

ウソだろ！そんな金ないよ！
少しょうおまちください調べてみます
50c.c.《シーシー》のバイク買えちまう値段じゃねえか！
ポリ
ポリ
こんな薬のどこが15万もするんだ
保険がききますので……38円でいいです
極端すぎるぞおい！
コト
ズイ
いちいちおどろくなァこのやろう！
どうしたの始めよりよけいすごくなったじゃない！
きゃあ——っ
まるで別人ですよ

そのほっぺたはどうしたんだ!
歯痛の薬のんだらよけいはれてきたんですよ
あのヤブ医者め剃りまで入れやがってちくしょう
すごい迫力ですよ!
じゃ夜勤よろしくたのむぞ両津!
あまり顔 外にだすなよ
なんで昼に出勤して夜勤やらなきゃならないんだ18時間労働じゃねえか! くそっ
バイバイ
18時間も働けるかよちくしょう!

本物の交番勤務とは全然ちがうじゃねえか
話にあわせて労働時間が異なるな!
すいません道ききたいんですが?
なんだって!
ぎゃあ!!
人を顔で判断しやがって!
とはいうものの…かなりすげえな…
今夜はやけにむし暑いな!
こういう日はキューッと冷てえのを一杯!

そうだ冷蔵庫に日本酒を冷やしていたんだ
へへ
あっ！全部空っぽだ！
部長の仕業だな！
もう11時か酒屋もしまっちまったしな
今ごろやってる店は……
そうだ24時間ストアーがあった！
空っぽにしてって大丈夫だろうな
拳銃だけはもっていこう
かっぱられたらマスコミがうるさい！
24時間
コンビニエンスショップ
KENNEDY HOUSE

スゥイーーー
ジャリ
SIMPSON
えーと酒はどこだ
ザッ
ザッ
あったあった
特級
清酒
29
大福
あとつまみを買ってくか…
ザッ
ザッ
兄貴これにしましょう！
よし！帰るぞ
パン
つまみ
どれがいいかな

どけ どけ
ガン
ちゃんと並んでくださいよ
なにっ
文句あるのかよきさま!
どうでもいいけど早くしろ
なんだとてめえ!
ズン
ひい――っ
ど どうもお先にどうぞ!
そうかすまねえな!
いらっしゃい…
ドカ

すげえ 迫力だ…
さぞかし 名のある 兄さんに ちがいねえ
目つきが ハンパじゃ ねえよ
どこかで 見たような 顔だが…
これだ!!
指名手配《しめいてはい》
悪山 殺五郎(42)
最強悪犯人. 前科85犯
○車からアキカンをすてる. 電車内でタバコを吸うなど極悪非道な男
いててて! 薬 のむたび よけい 歯が 痛くなって きた!
プァ～ン
コロ～ン
カラ～ン
ばかに パトカーが 多いな
プァ～ン プァ～ン
警視庁
この付近に 凶悪犯が 潜伏している 模様です
住民の 皆さんは 十分 注意 して!

凶悪犯か 物騒な 話だな！
風呂入って さっぱりしてから 飲んだ方が うまいな
ひとっ風呂 あびてくるか
THE・SENTÔ
銭湯も 久しぶりだ いつも 寮の だからな
昔は よく ここで クツかくしを やったもんだ
おっ すいてる やった！
いらっ しゃい
ガラッ
シャンプー
コンバット
亀有シネマにて 10/20～10/30
ドリンク

はい
240円！
チョリン
指名手配
悪山 殺五郎(42
ひぃーーっ
ん？
何
見てんだよ
おめえら
指名手配
おっと
急に 客が
いなく
なったぞ…
やった
貸し切りだ
亀有ドリンク
カギをふんしつ
こわれた方は
ひゃくおくえん
もらうぞ
店主
うわっ
ひゃあーっ
逃げろ！

なにっ 拳銃を！
はい！ 今にも 撃ちそうな 態度でした
犯人 山歯湯《やまはゆ》にて 発見！ なお 武器を もっているので……
犯人に つぐ きみは もう 逃げられない 武器を すてて 出てきなさい
30秒後には 催涙ガスを なげこむ！ くりかえす
THES
YAMAHA
YPVS電子湯 最高出力75PS！
男
ばかに 外が やかましい な！
片岡理髪店
ダンディなヘアーを！
佐々木電化商会
うなぎ
かしやま
うわっ なんだ!?
キイッ
プーピー
プーピー
警視庁

凶悪犯がたてこもってるそうだなどんなやつだ？
たばこ
バタッ
はい！まだ 手配書が届いていない派出所もあるそうで！
うちのところはまだだ どれ！
指名手配
悪山殺五郎
げっ これは！
今の先輩そっくりだ！
まさか先輩がうろついていてまちがわれたんじゃ…？
うーむ考えられるな…
派出所に連絡してもだれもいないわよ
やはりあの中にいるのは先輩だ
何事だっ いったい ゴホゴホッ
まさか俺を だれかとまちがえてるのじゃないだろうな!?
シュー…ッ

★週刊少年ジャンプ1983年42号

錬《れん》金《きん》術《じゅつ》師《し》!?の巻《まき》

警視庁
ばか者 また借金したな!
なくなれば人から借りるという安易な考えしか浮かばんのか
おまえの頭は中学一年生か このばか者!
借金! 借金! 駅のそばのM《エム》デパート並みだぞ!
いや! 部長 あれはクレジットです
英語にしただけで内容は同じ「ディス イズ ザ借金」だ
おまえは自分の金でやりくりをするという知能が欠如した…
ユサ
ゴホッ ゴホッ
部長 おちついて! 水です!

部長も病みあがりで体調が 良くないんですからあまり興奮しない方がよいのでは…
ゴクゴク
だれがおこらしているんだバカモノ!
あいたたコップのかけらが!
部長そろそろ会議の時間です
うむわかった
いいかこれから両津に一円も貸しちゃいかんぞ
はい
うおおっ血だ…血!
クレジットカードなどに 手をださぬようよく見張っておくんだぞ
手続きの段階で不適用者になるので大丈夫だと思います
ううっ頭が…
こいつの事だ金のためなら何考えるかわからんからな
部長が投げたコップで……うう…重体!

じゃ あとは たのんだぞ!
警視庁
はい おつかれさま
うおっ 部長のせいで 頭が…
もう 部長さん 帰ったわよ
ちくしょう 無視しやがって コップで頭が 割れて死んだら どうする気だ まったく!
レスラー 以上に タフな事を しっていて ぶつけたんじゃ ないの
そういえば もう お昼ね!
店屋物 とるわ 何にする?
ぼくは ヒレカツ ライスで いいよ
はい! 私は 並カツ丼の 大盛り
お金 あるの?
えっ お金? お金 いるんだっけ?
今日は ふたつで いいわね

ねえっ今回だけちょこっと金立て替えといてよ借金じゃなく立て替え!
だめ!
麗子さん美人だね〜すごい!パープリンのモデルもまっ青!
あっ公園前派出所ですヒレカツにナポリタンをはいよろしく!
ぜひタレントになってレコードをだした方がいいよ!
あっ
ガチャッ
なーに?わたしってそんなに美しいかしら
このアマァ
なんでえ超一級ドブスへちゃむくれ今風の能なし丸だしバカ女!
イノシシブタ女!
とびだしていっちゃったよ!
悪口にかけては天才的な才能ね!
てめえらになんかたのまねーよ!
きゃあきたない!
ペッ
ペッ

簡単に貸す わたし達も 原因なのよ 本当に かれの事 考えたら この方が いいのよ
先輩は 情に訴えて 借りるのが 得意 だからな
まっ 4～5日 食事ぬいても 先輩なら 大丈夫か！
そうよ！ 日ごろから 東京大地震でも 自分だけ 生き残るって いってるん だから……
興真牛乳
興真
亀有店
ハラ へったなあ ちくしょう
こうして 歩いてると 道端にふっと 一億円 おちている……
なんて うまい話が そうある もんじゃ ないな
コロン
カラン
サンドウィッチ
パンの耳です ご自由にお取り下さい
おっ

これ ただで もらっていって いいのか！
いいよォ すきなだけ もっていって ちょうだい
パンの耳です ご自由にお取り下さい
ギョーザサンド −250円
ナットウサンド −200円
こりゃ 助かる 他にタダの 物ないか
コーヒー 60
ミルク 60
そうね ハムの耳が 少し あるけど
くれ！ くれ！ 他にないか？ ヒレカツの 耳とか ロースト ビーフの 耳とか
そんな もん ないよ
やったあ タダで 食料が 手に入ったぞ
現代の日本は 金が なくとも なんとかなる ものだ！
若者たち
君の行く道は 果てしなく遠し
運転手急募

おい どけ! どけ!
なんですか それ?
今日の昼メシだよ
これから料理するんだ
また 土手の雑草や木の根をひろってきたのかしら?
パンの耳みたいだったよ
フライパンで炒めて砂糖をまぶしたあげ耳!
牛乳とタマゴでつくったフレンチ耳トースト
野菜をまとめて炒めた耳野菜炒め
水でとかしてコンソメを入れた特製耳スープ

ただのパンの耳でこれだけのバリエーション作ってしまうとは私は天才だ
いただきまーす
パク パク
けっこうマメにつくるな
生活力があるからねあの人は!
数日後
ねずみ取り
タバコは体によいのでなるべく若いうちから吸うようにしましょう
うぐむ こう毎日パンの耳ばかりじゃあきるな
料理のパターンもなくなってきた
よーし食生活を改善しよう
それにはやはり金だ!
スクッ!!
人間腕に技術があればくう事ができるはずだ
ナベ・カマの穴《あな》など修繕《しゅうぜん》しま
包丁《ほうちょう》・ハサミ・刃物《はもの》研《と》ぎます
派出所の両津まで

先輩 なんですか これ!?
見ての通り 修繕屋 開業だよ
公務員が アルバイト しちゃ だめですよ
うるさい わしの特殊 技術を うもらして おく方が 世の損失だ
すいません 修理 お願い します
それ みろ 世間は 私を 求めて いるんだ
広辞
もっとこが ガタガタに なっちゃって ね……
こりゃ 銅製の鍋 だね いい品だ
いい物だから 修理賃も ちと高いよ いいかな
けっこう です
広辞
そいじゃ まってよ 今すぐ やるから
カン カン
あっ!
何やってる んだ 両津!
広辞苑

おまえ また バイトで 修繕屋を……
何いってるんです 部長!
私は ただ この人が 鍋こわれて 困ってるから 善意で直してる だけですよ
この看板は なんだ
警察官にも それぞれ得意な 分野が あるでしょ 私は その特技を 生かし……
地域住民の お役に 立てればと 奉仕してるん ですよ!
えらい!
私利私欲しか 考えん男だと ばかり思っていたが 見直したぞ 両津! そうだったのか!
あ あたりまえ じゃないですか 住民の笑顔が 私の生き甲斐ですよ
はい 直ったよ
どうも ありがとう ございます
おいくら ですか? ずいぶん 高いと…
ば ばかな 何!! いってるん ですか!

む 無料にきまってるでしょ!! タダですよ タダ!
本当すみませんねえ
両津! おとなになったな
じゃ 今までの私はなんだったんですか?
よし わしも協力して近所から注文をとってきてやろう
まいったな やばいぞ こりゃ
うそをつくからですよ

ふう ちょっと ひと息 入れよう
さっきから 休んでばかり いるじゃない
人事だと 思って! つかれんだぞ この仕事は タダだと 思うと やる気を なくすよ
なんで こんな物まで 使って フライパン 直さなきゃ いけねえんだ まるで 溶接工じゃ ねえかよ
だって ボール盤や スライス盤も 使えるんで しょう?
使い方を しってるという だけだ プロみたいに いくかよ!
次は これね この自転車の 溶接とベア リングの修理! 色はピンクに ぬってくださ いって!
ばかやろう! オレは 工業大学の 学生じゃ ねえぞ!
もう やめた! 技術も 限界だ!

大丈夫
両ちゃんなら
できるわよ
できても
やらん!
わしは
警官だぞ!
なんで 鍋釜の
修理ばかり
やらせんだ!
だって 部長さん
署に
日用品修理課を
つくるって
いってたわよ
ばかなもの
つくるなっ
くそ!
おとなで
商売する
事が
まずった
原因だな
やはり
ターゲットは
ガキに
しぼった
方が いい
この機材を
生かして
なんとか
………
うーむ
北野ペンキ
ワー
あれ?
なんだ
これ
ジャーン
両津・ガン・スミス
本日開店
安全! 安い! かっこいい!
カスタムガンは高いと思う君!
ぜひ来店を。
カスタム過剰
の時代に
終止符!!
公園前
派出所にて

有公園前派出所
ロングバレルやW《ダブリュ》セフティなどイモ! ださい! 本場アメリカではこんな物使ってない!
でとにっくす 45,
かすたむがん
カスタムとかいって 高い金ふんだくるところが あるがうちは ちがうとにかく安い! しょせんオモチャになん万円もかけちゃいけないぞわかるな
ねえ どんなパーツがあるの?
まあまて! まずは開発第一号
ゴソゴソ
でとにっくす45,
かすたむがん
MGC《エムジーシー》 スズキのガバメント共用パーツ
コンバットファイティングブルーフィニッシュハードスティール右回りスペシャルグリップスクリュー
両津ガンスミス特製限定販売手づくりパーツが2こ1組でたったの250円
安いなあ
ふつうのグリップのネジとどこがちがうの?
ドキッ
うっ 鋭い質問だね!

まず 色がちがう ネジ山の数が多い 特別限定で めずらしい 名前が かっこいい!
ガヤガヤ
あまり変わらないみたいだな
今のはほんの小手しらべ
両津ガンスミスは長物のパーツにも 手を広げている
すげえ
MGCコクサイ マルシンLS《エルエス》 すべてのM《エム》—16に共用のすごいパーツ
コンバットウルトラサンダーボルトミリタリーコマンドスーパーストロングスリング!
それもふつうのとどうちがうの?
いちいちうるさいなかっこいいんだよ名前が!
なんていう名前だっけ?
うっ… その… コンバットウルトラスペシャルオートマチックスリングだ
さっきとちがうじゃないか
2種類あるんだよこのスリングは! 買うのか買わないのか!
買わない
もっとかっこいいのないの!
つまんないのばっかし
まったく小生意気なガキだ!

これぞ他店にはない決定版！トカレフのカスタムハンマー
そんなモデルガンしんないよ！
時代がちがうよおじさん！
スマイソン用コンバットファイティング右回りサイドプレートスクリュー
だからどうちがうの？
子供の方がしっかりしてるみたいだ
あれガンスミスはどうしたんですか
一日で廃業だよ！
パチ
近ごろのガキは頭が きれる わしらのころはよく だまされたものだがな
プラモもずいぶんありますね
これが新商売の「プラモ組立屋」だ
最近自分でつくらねぇ横着者が 多いけっこう商売になるよ

しかし交渉の末一割だぞ 1こ50円にしかならん！
パチン
先輩にしてはおそろしく地味ですね
そのかわり一色5円いそぎは2割から3割という話しあいになった！
子供と賃金交渉するとは！
亀有公園前派出所
やったこりゃいけるぞ
チリがつもって山となった
さすがプラモ早づくり日本一の両さん 一日80このペースで…みろ！はは
あまり無理しない方がいいですよ
見なさい私の芸術的才能を求めてこんなにファンが！
お巡りさんつくってお願いしまーす
需要がある限りがんばるぞ
!!

★週刊少年ジャンプ1983年48号

両《りょう》さんのジンジロゲの巻《まき》
なにっ ボーナス交渉 大づめ!
労使交渉で 話しあいが 決裂! 事態は大づめに
意味が さっぱり わからんな
あ!! 大変だ!!
両ちゃん 珍しく競馬以外の 新聞みてる じゃない…
お金を くずすために 駅で買ったん だって
読まずに すてるのは もったいないから スミからスミまで 読みつくす らしいよ 朝から 読んでるよ
60円分の 元を とるつもりね
おい 中川
はい?

あっちこっちの会社じゃボーナス値上げやっとるがわしらはやらんのか!?
警察は民間企業とちがいますからね！
同じ労働者だろうが！なんでわしらだけだめなんだよ
バトンタッチ
つまりねえ わたしたち警察官は公務員でしょ 公務員は地方公務員法37条で「同盟罷業、怠業その他の争議行為をし、又は地方公共団体の機関の活動能力を低下させる怠業的行為をしてはならない。…」と定められているの たしかに憲法28条の権利はあるけど一方、公務員は、15条でいう〃全体の奉仕者〃であるわけだから28条の権利を制限されてるのね そのかわり人事院・人事委員会が必要な勧告を国・地方公共団体にする事を定めそのカバーをしてるってわけ
これでわかったわね
ああわかったような気がしてきた
うまいなあ
暗示よ頭のキャパシティーを超えるほど複雑にいえばいいのよ
よう両さん
おう

ボーナスでたかい?
いやわしのところは来月だ
うちの会社組合が強いからボーナスが2倍だぜすごいだろ
なに!2倍もでたのか!
委員長が強気でよォ社長は太っぱら頼りになる組合だぜ
そうか…組合でおどかせば2倍か!そりゃすごい
まずいわね両ちゃんに知恵をつけてるわ
やばいなあ…
おい中川!
きた!
ガタッ
うちの組合委員長はどいつだ!?
そんな人いませんよ
公務員は組合活動はできないんですよ
なんだとそんなバカな!

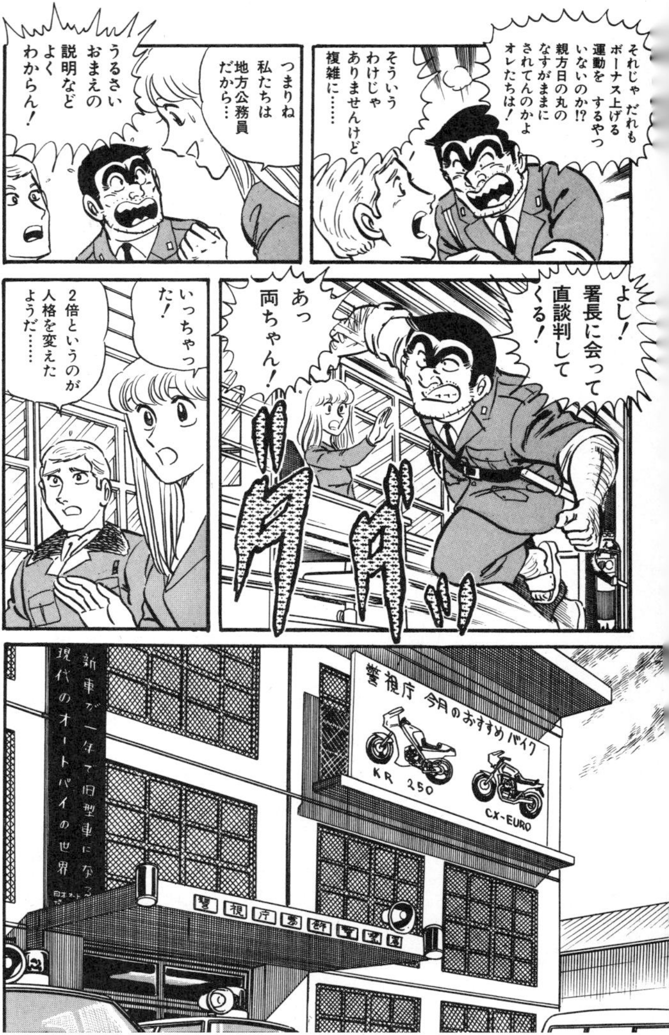

それじゃ だれもボーナス上げる運動を するやついないのか!? 親方日の丸のなすがままにされてんのかよオレたちは!
そういうわけじゃありませんけど複雑に……
つまりね私たちは地方公務員だから…
うるさいおまえの説明などよくわからん!
よし! 署長に会って直談判してくる!
あっ両ちゃん!
ダダッ
いっちゃった!
2倍というのが人格を変えたようだ……
新車が一年で旧型車になる現代のオートバイの世界
警視庁 今月のおすすめバイク
KR 250
CX-EURO

あっ 署長 おでかけですか?
いや たまには署員の勤務ぶりをみとるのだ
車庫証明書の書き方
きみは 新しく卒配された子だね 初《うい》ういしいのう
まあ はずかしい
あっ いた!
署長!
ずん ずん ずん
あっ 両津!
ボーナス上げてください 2倍に!
な なにをバカな事いっとるんだ きみは!
友だちの会社じゃ倍でてんですよ! うちも アップしてくださいよ! 日・祭日だって働いてるんですよ
ドトーン
こ こら 一般の人たちもみてるぞ やめろ こら!

おい やめるんだ!
ガッ
うるせえな おまえらの でる幕じゃ ねえ!
ブン
うわっ
上げて くれなきゃ 組合作って ストライキ しますよ
私に いっても ダメだよ 上が 決める ことだからな
わかった! 警視総監に あって 話つけてくる
あっ こら!
みんな 両津を とりおさえろ 本庁にいかせたら 大変になる
こら 放せ! バカ
おまえたちの ボーナスも ふえるんだぞ こいつっ!
いてて!

そう でしたか…
署長室
今後 こんな事は ないように ………
大原《おおはら》くんから よく 説明して あげたまえ
監督不行き届きでした 本当に申しわけありません
まるで 野獣だよ あの男は！
バタッ
あいつめ！
派出所
わしひとりに 30人近く かかって くるんだぞ 要人テロの 特訓じゃある まいし！
やる事が 無鉄砲です よ！

あっ 部長 ききましたか? ひどい目に あわされたん ですよ かわいい 部下が!
おまえ 組合を 作った そうだな
はい 中川と麗子と 本田が 入ってます
ぜひとも 部長には 委員長に なってもらい 先頭に立ち…
組合は 認められて おらんの だぞ
そこが 一番いけない ぜひ 強力な 組合を作り 断固闘って 勝たねば!
だから 組合が ないかわりに 人事院や 人事委員会の 勧告制度があり ……
なんすか? その ジンジロゲの カンクロー ってのは?
歌舞伎 役者?
部長 そのあたりの 説明は さっき やったんですが まったく うけつけ ませんよ
しかし 説明せんと また 同じ事 やりかねんぞ
以前やった みたいに 絵でかいたら どうかしら
うーむ その線が 一番 よさ そうだな

両津ちゃんと説明してやるみろ!
広辞苑
いいですよ
ふつうの労働者は会社と直接話しあってボーナスをきめる
これが団体交渉だ…
スト
ボーナス
ところが公務員は人事院や人事委員会を通してから
給料やボーナスの額をきめてもらうわけだ!
じんじいん
ボーナス
そこがわかんないんすよ! そのジロジロなんとかってのが……
つまりだな
これは神様だ
神様?
じんじいんの神
神様がお巡りさんの働きをみているわけだ
中でもプーさんはじつにマジメによく働いている
うんうん
じつに感心だ
はしゅつじょ

神様は総監にそう伝える
プーさんはえらい！成績もよくなる
したがってボーナスもいっぱいもらえるわけだ
なるほど
だから 組合などなくてもこの神様がちゃーんと勤務ぶりをみてアップする心配いらん
ジンジロゲってのはそういうところだったんすか
じゃ一所けん命働けば2倍くらいアップしますかね
ま…まあな
がんばればその分アップするまちがいない
すげえいい事きいた！
ジンジロゲって風紀委員みたいなものなんだ！
えらい！よく理解した！
だから 今後は組合など作っては いかん直談判する必要もないわかるな
もちろんですよ

なるほど歩合制だったのか……
ふう やったやった！
ちゃんと理解しましたかね…
もうバッチリだこれで安心だよ
どうも別な方に理解してるようだけど………
出 所
皆さーん おはよう
今日一日労働にがんばろう！
あっ 先輩ですか？
あたり前だ見まちがえるな！
バカッ

どうしたんです！その帽子は？
ばか！まじめさの第一歩は服装からだ！
まじめにやればやるほどボーナスもあがる
公務員のボーナスは歩合制だとしらなかったからな！
だめだもう 完全に歩合制になってしまった
本気であがると信じてるのかしらね
おい 中川仕事ないのか
ありませんよ
しからば自習をする漢字のかきとり！
警察官たるもの書類に誤字などないよう日ごろから訓練せんといかん
キリッ
これでアップするだろ 千円は自発的だからな
プラス千円と！
ジンジロゲの係の人ちゃんとみてくれよな
まじめにやってんぞ

おはようございます
部長殿おはようでありますッ!!
シャキーン
両津どうしたんだ熱でもあるのか?
いえこれがふだんの姿ですよ
すみません亀有《かめあり》駅はどちらですか?
はい! 駅ね 私が教えよう!
まずこの道をまっすぐ!
サッ
ばかにはりきっているな
例のボーナスですよ
上司に対する正しい挨拶 親切な道案内!
これでプラス五千円だな

生まれ変わったようだな両津！
またあこれが本来の私《わたくし》ですよ
あっ おばあさんあぶないから手を引いてあげましょう
すまないねえ
どうせならおぶっていってもらった方が…
遠慮ねえババアだなこのやろう〜っ
すまないねお巡りさん
なーに警官として当然の事ですよ！
くそ！やたら重いババアだ
先輩本気ですよどうするんですか
かまわんおかげで働くようになったからな
重いばあさんをわざわざおぶって道路のむこうまで運ぶ…と
これなど二万円もらわんとあわんぞ！

それからと いうもの じつに献身的な 働きであった
フータローや よっぱらいの世話など 自分から すすんで おこなった
元来 気の短い かれの 怒りを しずめた ものは金であった…
予想ボーナス額は すでに 八百万を こえていたのであった
ついに ボーナスの 日!!
みんなも もう もらって きたのか
はい さっき 警務課から!
先輩は どう説得 するんですか?
はは なんとか なる!

ぶっちょおおーっ
ボ ボーナスがあああっ
前回より三万しかふえてませんよぶちょお〜っ
予想では八百四十万もらうはずですよおお!
部長はウソをついたああーーっ
まあおちつけ両津!
あんな一所けん命働いたのに!!
本当はおまえのボーナスは八百四十万円
だって入ってないんだよォ!
まじめにやったのは一か月前からだろその前にずる休みがあったろうが25回!
その分四百万円引かれ遅刻が185回これで百八十五万円ひかれる
パトロールのさぼりが10回でこれが百万円夜勤中逃げて五十万円ロッカーこわして三十万円……

それら すべて差し引かれて この金額に なったのだ! 身に覚え あるだろ
し しかし…
さらに おまえの結婚資金として 二十万円 わしが預る!
あっ
そんな! タダでさえ少ないのに
先月 約束しただろ 男の約束だぞ
先輩に五万貸してたんですが… ボーナスで返すと……
そうか よし
ちょわ!
酒屋さんからも 請求書きてるわよ 預かってたの
そうか 二十万円だな
あと おもちゃ屋から 十二万円が……
おっと 旅行費も引いておくぞ! さわやか積み立て貯金分もな
残り全部 おまえのボーナスだぞ 三千八百六十五円!
よかったわね 残っていて…

いるかあ こんなもん!
あっ
きみたちは貧しいぞ!
こんな紙きれのために毎日働くなんて!
金が人間を支配する世の中はまちがってる!
金がなんだただの紙だ!
人間は金よりも強いんだ!
あっ
いっちゃったよっぽどボーナスがショックだったんだな
かまわん放っておけ

★週刊少年ジャンプ1983年52号

両《りょう》さんのホワイトクリスマスの巻《まき》

ブロロロロ
町会の子供会でプレゼントを配るサンタになる人がいなくて…お巡りさんで協力してくれる方がいないかと思って…
12月24日でしょうこちらも歳末警らなどで忙しい時期でね……手のあいてる者は……
どうも遅くなりましてつい気を許して寝すごしてしまいました
いましたよひとり!あいつなら適任です
そうですか!よかった
よろしくお願いします!お巡りさん
えっいや別に!

近くになりましたら打ちあわせにうかがいますので…
わかりましたお任せください
なんすかあのおっさんは？
町会長さんだクリスマスにプレゼントを配る人をさがしにきた
ご苦労なこった！そんな事やるヒマなやついるんすか？
おまえにきまったよ
えーっなんで 私がやるんですか！
30キロのプレゼントを配る体力があるやつはおまえしかいない！
警察の仕事じゃないでしょう町会でやる事じゃないですか！
地域住民とのふれあいは外勤警察官にとって大切な事だ！
来週のクリスマスうちでパーティーやるんですがよかったら 部長もきてください
そうか！ちょうど非番だからな……

先輩も よかったら…
いや！ だめだ！ こいつは プレゼントを 町内の子供達に わたすという 大事な使命が あるからな
なんで 私だけ ガキに プレゼントを 配ってなきゃ ならないんスか
子供達は 年に一度の クリスマスを 楽しみに してるんだぞ
クリスマスは キリスト教の 行事でしょうが なんで 仏教の日本で クリスマスを やらなきゃ いけないんです！
部長は 教会に ミサにいった事 あるんですか お寺しか ないでしょう
うっ
ビク
クリスマス なんてのは おもちゃ会社と ケーキ会社が もうかるだけ！ その現実を しらずに ケーキに ローソクを立てて よろこんでいるから 現代人は バカばっかし なんですよ！
だいたい 誕生日にまで ケーキを買って ローソクを 立てやがる！
この日本で ローソクを 立てていいのは 仏壇だけ！ そうでしょう
めでたい時は 赤飯をたいて 祝う！ これが あたり前
なんで 西洋のマネして ケーキなんぞ たべなきゃ ならないん ですか！

クリスマスなどナンセンス!仏教国日本はお盆とお彼岸だけで十分!
したがってプレゼントなど無用!ガキを甘やかしてはいけない!
やりたくないものだからすごい説得力だ!
西洋かぶれの日本を救うのは我らミドルジェネレーションしかいない!わかりますね部長!
十分わかった それじゃ24日はよろしくたのむ!
ポンッ
ちっくしょう人が せっかく巧妙な話術で説得してやったのに!
先輩また今度きてくださいよねっ
今度って一年も先だろうがこのっ!
ガッ

12月24日クリスマスイブ
洋菓子 ムラコシ
クリスマスケーキ
洋菓子ケーキ ムラコシ
その地図にかいてある順に配るんだわかるな!
はいはいわかってますよ!

部長 そろそろ 時間ですから
わかった すぐ いく!
人の家あがって お茶のんで くつろぐなよ プレゼント 渡したら すみやかに 帰れよ
うるさいなあ わかって ますよ!
グバビボッヴォム
くそ! 自分は パーティーに いきやがって!
そういうなよ こっちだって 勤務だぞ 両さんのが まだ楽だよ!
じゃ かわってやるよ わし 勤務するから 寺井《てらい》 サンタ やれ
えっ だめだよ そんな!
ガッ
おまえのが 太ってるから サンタが あう おまえが やるんだ!
だっ だめ 30キロの 荷物なんて もてないよ!

ちくしょう やはり わしが やるのか!
あっ サンタだ!
かっこ悪い!
うるせえ ぶっ殺すぞ!
うわあ―っ
初めは この家だな
煙突なんて ねえからな……
やはり 玄関から だな
こんばんは いますか
ガラッ
!?
えーっ サンタで ございい!

よかった！うちの子おまちかねよ！
ガキ…いやおぼっちゃんはどこに？
しげちゃん本物のサンタさんよきなさい
ぬっ
ほらサンタさんがしげちゃんに参考書のプレゼントもってきたわよ
はは
いい年してよくやるねおじさん
はは…それほどでも……
どうもご苦労様でした
はい！それじゃこれで！

ピシッ
ガラガラ
くわっ
ふざけるな!
何が
よくやるだっ
好きでやってる
わけじゃねえ
バカ!
てめえなんか
受験落ちて
路頭に
迷いやがれっ
ボケ!
ガッ
あの
何か…
ガラ
ガララ…
メリー
クリスマス
!
あと
いっぱい
あるなあ
17軒か
ドン
おっと

あいつもサンタのバイトか…大変だな
四丁目あたりで見失いました
犯人は逃走中です
まあお茶でもどうぞ
いえ！先を急ぐものでこれで！
とうとう降りだしちまったか
テンポよくいかねえとやばいな

次は
この工場か?
丸山時計器機
丸山時計工場
あれ
カギが
かかってる
丸山時
ガチャ
ガチャ
まいったな
どうやって
入るんだよ
おっ
やってる事は
ドロボウと
かわらんな
とにかく
ノルマ
だけは!
あっ
あっ!!
赤

また会いましたな お宅も同じ家とは奇遇ですな
えっ？
またまた！プレゼントのバイトでしょうお互いつらいですな！
はあ まあ…
私の方も同じガキにプレゼントしてきますよ
ギィ
あれ？
その男はドロボウだ！
なに！
てめえまて！
グイ
あっ
ズダダダッ

ガァン!
ぐえっ
いてて!
まともに
くらった
あっ
両津さん?
逃がしちまったよ
くそ!
はい!
被害は…
六研《けん》の
モデルガン
フライシュマン
のN《エヌ》ゲージ…
キイッ

きみか 犯人を真近でみたという警官は？
バタッ
はあ そうですが……
もう一度 犯人の顔みればわかるね
目立つサンタのかっこうしてたからすぐ わかりますよ！
それがそうでもないんだ いっしょにきてくれ
え？
全国《ぜんこく》サンタクロース仮装《かそう》大会《たいかい》会場《かいじょう》
12月24日
キッ

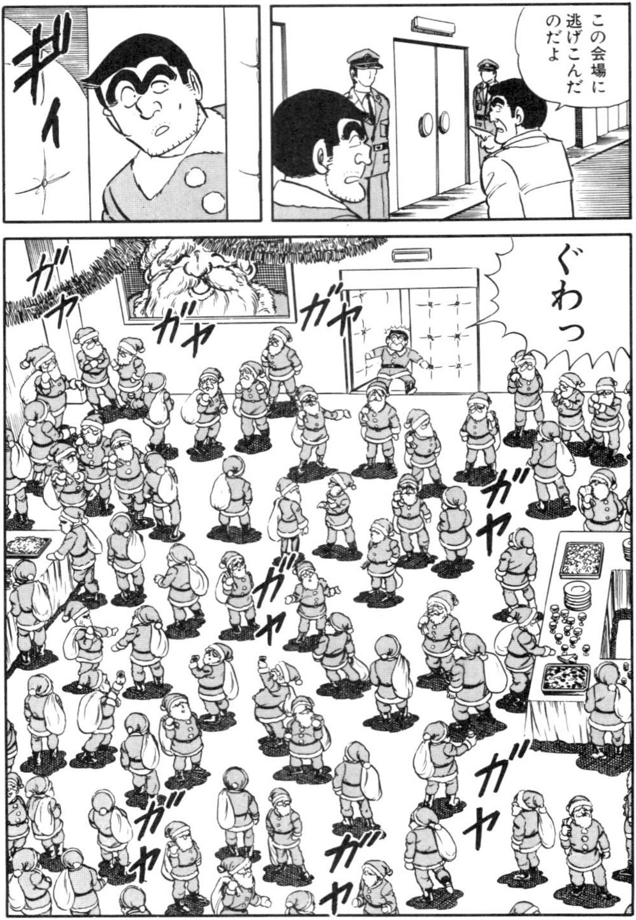
この会場に逃げこんだのだよ
ギィ
ぐわっ
ガヤ
ガヤ
ガヤ
ガヤ
ガヤ
ガヤ
ガヤ
ガヤ
ガヤ

この中に絶対いるはずだが……
ガヤガヤ
みんな同じかっこうじゃないか? これじゃわからんよ
それに素顔をみたわけじゃないしな!
う〜むそれじゃ調べようがないな…くそ!
ん?
あったひとつだけ確実にわかる方法が!
え!?
パッ
あっ停電だ!
どうしたんだ!?

いた！
あいつが犯人だ！
てめえこの！
うわっ
ズダダッ
ど どうしてわかったんだ？
頭のできがちがうよへへっ！
次の日
犯人ととっくみあいしたところが時計の工場でな
文字盤に塗る夜光塗料がわしや 犯人の服にかかっていたというわけだ

とんだクリスマスイブってわけだよ
あっ 部長 昨日は どうも
両津 まだプレゼント届いてないといってたぞ!
あっ いけね 途中で忘れてた!
今夜必ず 残りをやりますからご心配なく
本当か 絶対やるんだぞ
その夜のクリスマスは東京でなん十年ぶりかの大雪となった
もしもォーし 一日遅れのサンタですよ〜っ お〜〜〜〜い
あけてくれ こごえ死んじゃうよ〜〜〜〜っ

★週刊少年ジャンプ1984年２号

必殺《ひっさつ》正月カットの巻《まき》

昭和59年　正月
ニコニコ寮
ニコニコ寮

ドン
ドン
両津
先輩!
先輩! いるんでしょう
ドンドンドン
おかしいなあ
正月はずっといるといってたんだけど……
あれ ドアがあいてるのか………
カチャ
ギイ…
あ!!
先輩が死んでる!!

大変だあーっ
先輩が
死んだあ
――っ
死ん
じゃったあ
!!
おい……
ひいっ
うわっ
死人が
動いたあーっ
こわいよ
こわいよ!
いたたっ
こら!
勝手に
死体に
するな!
バカ!
あっ?
生きてる!?
どうやって
生きかえっ
たんです?
ハラが
へって
動けない
だけだ
生きてるよ

今日はいったいなん月なん日だ…
1月4日ですけど…
去年の27日からずっと寝ていたからな…
え――っ 9日間も飲まずくわずで!?
26日で有り金すべて使いはたした もはや 寝てるしか方法がない これならエネルギーも金も使わずにすむ!
何かたべないとダメですよ このままだと 本当 即身仏になっちゃいますよ
ちょっとまっててください 今 たべ物買ってきますからね!
賀正
1984
なんだタコ焼きかよ!
正月だからそのくらいしかないんですよ

髪の毛もすごいですよフォークシンガーみたいで……
寝ていてもこいつらは育ちやがる
おまえ髪の毛切ってくれよ
えっぼくが!?
そんなあやった事ありませんよ!
いいから!要するに短くなりゃいいんだからやれよ!
謹賀新年
寝たきり警官だからなめんどうみろよ!
はい
じゃいきますよ!
ジョキッ
おいどうした
あの前からやりますよねっ
どっからでもいいよ早くしろ!

じゃ いきます
おい! いちいち 悩むなよ どうしたんだ
やっぱり ぼく 床屋に むいてない ですよ!
なんだよ ヘアデザイナー みたいに やれってんじゃ ねえんだぞ
床屋の金も ねえんだ! この頭じゃ みっともねえから やれってんだよ
はは あ…
よけい みっともなく なるかも しれません よ
けんそん するな
男の髪は サッパリした 短髪が一番 いいんだよ!
じつに 簡単だ!
こんな もので いいん ですか?
おう 上等!

ヒゲもついでにあたろうカガミもってこい
えっカガミ!?
ぼ…ぼくがやってあげますよ!ねっ
そうか!なかなか物わかりのいいやつだ
すごいかたいヒゲですね針金みたいだ
カミソリが歯こぼれするらしいからな
ガリ
ガリ
あっ口ヒゲかっこいいですよ先輩!
そうかよし残しておこう
まゆげのつながってるところもそります
ゾリ
ゾリ
どうも変だな
そうか!両ハジもそった方がいいな
さらに形もそろえて
ゾリゾリ
おう終わったか?
は…はいだいたい終了です

うむ
だいぶ
さっぱりした
ごくろう
いやあ
お礼なんて
とんでも
ないですよ
じゃあ
外へ
メシたべに
いこうぜ
えっ
外へ！
さっきの
タコヤキで
歩く分の
エネルギーが
補充された
し
しかし！
昔の正月と
くらべると
開いてる店も
多くなったな
私用でも
制服きてるん
ですね！
先輩は！

ん？
漢方薬
堂
通りすぎるやつみんなわしの顔みるぞ
口ヒゲが似あってるんですよ！カッコいいもの！
そうかァなるほどうん　うん
今年はこのヒゲで勝負するかははは
自分の思ってる顔
おやっ
わははみた？今のやつ！
えっ
三好清海入道《みよしせいかいにゅうどう》みたいなバカづらしてたぞ！じつに傑作な顔だ
はあそうですか？
こいよ一見の価値あるぜまだ　この茶店にいるから！
いいいですよ！けっこうです！

ほら
いた！
みろよ
バカづら
あははっ
はは…は
あ…あれ
……？
ピタ
だから
ぼくは
床屋に
むいてないと
いったんだァ
!!
根っからの
ぶきっちょって
しってるでしょ
無理やりやれと
…！
キッ
ぶきっちょでも
限度が あらァ
バカヤロウ！
これじゃ
タコ八郎《はちろう》
じゃねえか！
わしは 関西喜劇の
コメディアンか！
パカパカ
パカ
パカ
びええ
ええーっ
こい！
てめえも
同じ目に
あわせてやる
ぎゃああーっ
修理

うええーん 正月から こんな頭じゃ はずかしいよう
うるせえなあ わしの方が もっと 悲惨なんだぞ
賀正
ハラへった！ 早く メシ屋に いこうぜ
ええん だって 500円しか ないんだよ
なんだと！ 人の家 たずねて来て 500円しか もってこない のか？
先輩 なんか 0円じゃ ないか！
わしは 世間と 使い方が 異なるんだよ キャッシュカード あるだろ！
そんな もの 初めから ないよーっ
正月休み6日 までか…… あと 2日間 この500円で 生活できる かな……
びええーん
いつまで ピイピイ 泣いて やがんだよ 女みてえに
パコッ
ふぎゃ ああーっ
銀行強盗 するっきゃ ねえぞ！

やだよ ぼくまで 銀行強盗 なんて！
じょう だんだよ じょう だん！
うそだ！ その目は！ マジで銀行 おそう気 だあ！
ばかやろう 警官姿と この頭じゃ すぐ みつかっち まうよ！
本当に やらないいん だね！
あたり 前だろ！ フォーカスで 笑いものに なっちまうぞ バカめ！
そうだ！ いた！
困った時の 神様が ひとり！
部長の家だよ あそこなら たべ物は いっぱい あるし 酒も 飲み放題！ ははは やったぜ！
先輩 その顔で いく気？
そうか？ うーむ マスクでも かぶって いくか？
それこそ 強盗に 間違われ ちゃうよ！

しりあいの店でなんとかしてもらおう
BARBER-BABA
バーバー馬場
ギッ
よう
ひい!
なんだ両さんかおどろかすなよ!
この頭なんとかしてくれよ!
うちは切るだけではやせないよ
そこをなんとかたのむよマジックでかくとか…な
そういえば男性カツラがあったな

うむ
サイズ
ぴったりだ
テカ テカ
床屋の
見本写真
みたいな
頭だな
ヒゲを
おとせば
サマに
なるよ
そうか
じゃ
たのむよ
どうだい
……?
まっ
いいか!
サンキュー
ありがとよ!
あっ
ぼくは?
ぼくも
なんとか!
もう
男性用
カツラは
ないなあ
なんでもいいよ
風呂敷でも
包帯でも
頭が かくれれば
人の事
だと思って
もう〜っ

ザオオム
へへへ
こここそ
こまった時の
かけこみ寺
いいんですか
突然
押しかけて…
そのための
上司じゃないか
わしらより多く
給料もらって
るんだからな
たっぷり
栄養つけ
させてもらう
ピンポーン
あら?
だれ
かしら?
年始の
お客さんじゃ
ないか…
どれ
ガタッ

部長〜〜〜さ〜〜〜ん かわいい部下ですよォ
不吉だ… 今年もえらい年になりそうだ
また そんな事いって!
すみませんね わざわざ
いえ こちらこそ 正月料理をたべてるところおじゃまして 数の子は元気かなァ!?
はっ
はっ
どーも部長!
あけまして栗キントン!
あ あれ?
よう メリークリスマス
オニシメやお雑煮は?
何いっておるんだ! 今日はクリスマスじゃないか!
そ そうかあ クリスマスだっけ?
まあ すわりなさい!

あなたっ たら！
いいんだ クセに なるから な！
さあ ふたり ケーキ たべなさい ハラ一杯！
あっ こりゃ どうも…
先輩 正月料理じゃ ないですよ
このあたり じゃ 旧正月か なんかで 今の時期は クリスマス だったんだよ きっと！
どうだ ケーキ おいしいか 一杯 あるぞ！
ははは… ケーキで ハラいっぱいに するのは 大変ですよ！
両津 顔のかんじ いつもと ちがうな ？
そう ですか 気のせい ですよ
ムシャ ムシャ
いや この頭が ……！
あっ
人が たべてる時 じゃま しないで くださいよ！
クルッ
おまえ 頭のヒフが ゆるんでるん じゃないのか ？
とんでも ない！ 中身以外 正常ですよ

★週刊少年ジャンプ1984年５・６合併号

ガバボオム
わたしが直《なお》す!
の巻《まき》

出演《しゅつえん》
両津《りょうつ》勘吉《かんきち》
中川《なかがわ》圭一《けいいち》
秋本《あきもと》麗子《れいこ》
山田《やまだ》一郎《いちろう》（新人）
星本《ほしもと》岩鉄《がんてつ》
山下《やました》元三郎《げんさぶろう》
その他
劇団《げきだん》ＡＢＣ《エービーシー》
大原《おおはら》大次郎《だいじろう》
LANCIA-Marlboro
Marlboro
598
NO STEP

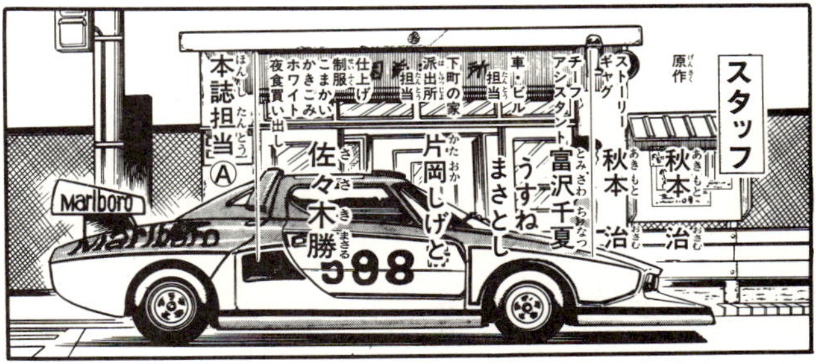

スタッフ
原作《げんさく》 秋本《あきもと》治《おさむ》
ストーリー
ギャグ
秋本治《おさむ》
チーフアシスタント 富沢《とみざわ》千夏《ちなつ》
車・ビル担当《たんとう》 うすね まさとし
下町の家 派出所《はしゅつじょ》担当《たんとう》 片岡《かたおか》しげと
仕上げ 制服《せいふく》 こまかいかきこみ ホワイト 夜食買い出し 佐々木《ささき》勝《まさる》
本誌担当《ほんしたんとう》 Ⓐ
Marlboro
598

亀有公園前派出所
110番へ

ばかもの!
水を大切に
よいお年を
84年
この書類を今週中に仕上げておくようにと言っといたろうが!
すいません つい うっかり していて!
警察官が「つい うっかり」などという言いわけをするんじゃない!
パン
あいた!
ニューGSX《ジーエスエックス》カタナのプラモ入荷一番乗りで買ったぞ! うらやましいだろ
SUZUKI GSX750 KATANA NEW
あっ部長 いらしてたんですか ますます熟年のシブミがそのお顔に!

おまえ まだ プラモを 作っている のか？
いえ！ これは しんせきの 子供に たのまれた ものです
筆なども マメに 買いこんでるじゃ ないか！
え!? それは プラモ 買ったら ついてきたん です 本当！
〝人形改造コンテスト〟にお前の名前が 出てたと 今日 署で言われたぞ
「職業・警察官」と しっかり かいて あったそうだ
消火器
えーっ？ おっかしいなァ 身に覚えが ありませんよ 同姓 同名じゃ ないすかァ きっと！
仕事に対し 毎日 真剣に とりくまないと あのような 警官になって しまうぞ！ 十分わかるな
は はい！
よう 大原くん
おっ
山田じゃ ないか！ 久しぶり だな！
じつは たのみが あって きたんだ

人材リース会社というのを作って 今がんばってるところだ！
人材リース？人を貸すのか？
その通り！一番のヒットが「貸しおとうさん」「こわい」「やさしい」「ふつう」の三種あって中でも「こわい」が人気あるんだよ
現代では自分の子を厳しくしかれる父親が少ないからな父親代理人ってわけだ子供の教育にもじつに役立っている
本来うちは俳優養成所なんだが演技勉強のつもりでやったところ評判よくてな
先月から会社にしたというわけだ
なるほど
ところでわしにたのみというのはなんだ？
「こわい」貸しおとうさんになってもらいたいんだよ！
ばばかな！なんでわしが！
さっきのおこりっぷりさすが 大原だ昔っから変わってないよ
たのむよ一日三万円でぜひ「おとうさん」に！

だめだ 公務員は バイトが 禁止されて おる！
そのガンコさが また いいんだ！ ぜひ たのむよ！
おい 一日 三万 だってよ すげえな
え？
亀有公園前派出所
残念だが あきらめるよ しりあいに 中年のガンコな 人が いたら そこへ電話して くれよ
ああ わかった わかった
おや？ 両津は どうした？
あれ？ さっきまで ここに いたけど…
よーし 年末の大掃除は あいつ ひとりに やらせてやる
いいか 発見したら つかまえる んだ！

大原なら いい「おとうさん」に なれたのに
バタッ
別を あたって みるか!
ばか もの!
道路で あそんじゃ 危険だぞ きみ!
私は みずしらずの 子供でも おこるよ! まったく いかん!
三丁目 田中まさき
あなたは さっき 派出所にいた お巡りさん?
あっ これは 偶然 ですな
どう したんです?
なにね 子供が危険な ところに いたもので つい 本気に おこってしまって…はは
私は 警官として でなく おとなとして 子供を しかった のです!
たとえ みしらぬ子供でも 子は日本の 未来を背負ってゆく みんなの宝です! おとなが 道徳を 教えて あげなければ いかん!

すばらしい お考えですね
お恥ずかしい つい 熱弁してしまった ガンコ者のたわごととでも思ってください
それじゃこれで！
あっ
だからですね 山田さん！ このガンコ者が世のために役に立ちたいと思うのです たとえば「貸しおとうさん」のように！
公務員のバイトは禁止されてるのでしょう！
いや 大丈夫です 私は警察官の特待生なので認められております！
そうでしたか それはよかった！ ぜひ お願いします
引き受けましょう 私が世の中のためになることならこれ以上の喜びはない！
889
598
HEUER
LANCIA
堀切菖蒲園駅

キィィ
山田《やまだ》人村《じんざい》リース会社《がいしゃ》
(111) 31-567
YAMADA
1日からリースOK!
お父さん, お母さん
兄弟, 姉妹, 赤ちゃん, etc
ここがわしの会社だよ
社長お帰りなさい!
しゅうとめ 100円
姉 1万円 美人5.000円高
兄 500円 美男子100円高
がんばっているか!
はいはい

正月は「ファミリー」の出前が多くてスケジュールは一杯です
はは そうかね
「貸しおとうさん」ってどういう風にやればいいんだ
今 教えてあげますよ
かれが こわいおとうさん人気ナンバーワンの星本《ほしもと》くん!
おう よろしくな!
手本のビデオがあるからみなさい
この家はカカア天下でなんとかしてほしいと父親からレンタルを希望された
まず食事の時など!
突然けとばし!「まずい」とどなる

風呂は一番風呂 毎日 午前様 日曜は 寝てる 横になったら 動かない！
そして ひたすら どなり 命令する！
これを 三日 くり返すと 一気に 家族の性格も かわるという……
おそろしい リース業 だな
もっと ハードな 戸塚《とつか》くんの ビデオも ありますよ みますか？
いや だいたい わかった
社長 いって きます
ガチャ
よろしく たのむぞ
かれは 「やさしい貸し セールスマン」 断られても けられても 売るまで 動かないという タイプです
気味悪い セールスマン だな……
なんだっ その返事は バカモノ！
今時の 若い者は まったく！
「カミナリ係長」の山下《やました》くんです 発声練習してる ところですよ
ばっか もーん
わっ

「こわいおとうさん」のスケジュールはどうなっているのかね
えーとこれです
さっそく両津さんにお願いしましょうか……
はいはいぜひ！
キィ
すげえでっかい家だな！
やはり父親からの依頼でしたよ

人材リース会社の者ですが!
えっ?なんだって?
はい　はい今むかえにいきます
またよけいな物たのんだね!アンタ
ドヒッ
バキ!
いたたっひゃあ——っ
けっこうハードな家庭のようだな
がんばってくださいよ両津さん!
とにかくものすごい家族なんですよ!
とても父親のいう事をきくなんてものじゃありませんよ
大丈夫!私が直しましょう
それじゃ両津さんあとはよろしく
はい　はいまかせてください
2〜3発はりたおしてもいいですねご主人!
ええ!できるものなら

ひえっ
長男が
帰ってきた!
心配は
いらん
わしが
ひきうける
オヤジ!
金だ!
あなたの
おとうさんは
今日から
この人です
そうか

おい!新しいオヤジ金よこせ!
ばかもの父にむかってなんだその口のきき方は!
金だよ金!
はいはいどうぞ!
…と油断させておいて!
あっ
でえい!
新しい父親はつええんだぜおぼえておきな
げっ

次男の
三男《みつお》です
兄き大丈夫かよ?
いつーっまだいたのか!
ヌッ
なんだいアンタ!この男は?
あの…か…貸しおとうさんの方です
なんだって!
ひぃーっ
こらっやめろ新しい父親はわしだぞ
うるせえなっ
生きてますかお巡りさん!
いいパンチしてやがるぜ女のくせに!

だてに貸しおとうさんやってない！まかせろ
なんだって？
ただいま！
おかえり!!
メシはまだか!?
まだだよまだーっ!!
じゃ風呂が先だ！

あつい風呂だぞ!早くわかせ!
おやじお帰り!
勉強しなさい勉強!
あそんでいてはだめだよ!
三男も勉強!一流大学をめざして!
とうさんはテレビみるぞ!
ぐわっ
なんかえらい人をたのんだようだ

★週刊少年ジャンプ1984年３・４合併号

ここでちょっと
ひとやすみ……

敬老旅行《けいろうツアー》の巻《まき》

路線図
由比ガ浜
江ノ電
チョロチョロするなよまったく

敬老《けいろう》旅行《ツアー》の巻《まき》
じいさん こっちだ こっち!
ノ電のりば
DEN
江島百貨店
出口
禁煙
江ノ電 味の街
輸送
入口
両替 お断りします
何しろ 鎌倉に きたのは 80年ぶり でのう
通常の人間の 二倍も 生きやがって 手を引いて やるからこい
すまんのう 両さん!

まったく年をとると子供にもどるってえけどガキといっしょだよ
これが血圧の薬でこっちが心臓の薬そして血圧計…
おい おい そんなに付属品があるのかよ
90を超すと飲み薬が多くなるんだ体が 弱いからな
弱くて99歳まで生きるかよ
じゃ 両さんよろしく頼むよ
わしじゃなくて医者がつれてった方がいいんじゃねえのか？
鎌倉ーっ終点でーす
ほらじいさん足元気ィつけろ
ほいほい

ドスッ
こきたねえ電車だな都電みたいだ
あれじいさんがいないぞ…
あっ
ボケていそうでああいうところはしっかりしてやがる
坊主はスケベが多いのがわかるよ
ガタン
ガタン
ガタン
ガタン
ナオール
スバル
356
家の間をすりぬけて走ってるよ
窓からおちたら電車にひかれちまうな

両津さん
うわっ
いきなりヨーダみたいな顔を近づけるなびっくりするだろっ
薬の時間ですよ
わかったよめんどくせえなあ
はい口開いて
パカッ
あっ
はいはい
バサバサ
ほら水飲んで!
ゴクゴク
はい本日の薬すべておしまい!
6種類もいっぺんに飲ますとは食前食後とかいろいろあったんですぞ

百年近く生きてんだからどんな薬飲んでも変化ないよ
なんて乱暴なお人だ
仏の身に仕える大住職を乱暴にあつかうとバチが当たりますぞ
もうすぐ本物の仏になるくせに何いってんだ
よろしい大住職の力をおみせしましょう
あんたの家族七代までたたってやりますぞ
わかったわかったよ!
キイ
江《え》ノ島《しま》江《え》ノ島《しま》です
さあ着いたぞ
江ノ島駅
ENOSHIMA

ほら 目の前に みえるだろ！
あんたの頭は すでに ゲームオーバー なんだから だまってる事！
わしに ついてくりゃ 間ちがいないの ちょっと 場所聞いて くるから！
和食・洋食 2階
お座敷 3階
ふじみ
和食洋食 お座敷あり
えっ 大仏は ない!?

これが大仏のある江ノ島だ！
大仏は江ノ島でしたっけかな？
鎌倉の大仏なら手前の長谷《はせ》で降りていくんだよあんた
もどるのかよまずいなこりゃ
宝

みやげ
江ノ島に あると 大見得《おおみえ》 切っちまった 以上 もどろうとは いえないな
そこにある 大仏を くれ!
えっ
やあ 大住職 おまたせ
やっと 大仏が あるところ わかったよ
そりゃ よかった
何せ 江ノ島くるのは 小学校の 遠足以来 だからな ははは
おかげで やっと 思いだしたよ うん!

どこですか大仏は？
うん！もうちょいすぐだ！
おみやげ 2階 お食事
おっあんなとこに早乙女《さおとめ》主水介《もんどのすけ》が！
何してるんだ大住職！大仏はここだぞ
あっ
はて？こんな小さかったですかのう
雨にうたれて縮んだんだよ はい お参りして！
お土産
よかったな念願かなって
はい
あの大仏裏に値段がついてましたな
そういう事いうとバチがあたるぞ

丁度いい
メシでも
くって
いこうか
お食事
営業中
2階 お座敷もございます
おでん
今日一日
つきあわ
されたんだ
からな
あんたの
おごりね！
おみやげ
え？
何か
いいまし
たか？
電車賃は
俺だったから
メシはあんたが
払うの！
わかったか
食事まで
おごって
いただける
とは！
ありがたや
これも
仏の
みちびき
なんまいだ
にゅうまいだ
ぶっ殺して
生き仏に
してしまうぞ
こいつっ！
いらっ
しゃい
カツ丼の
特上
ひとつ
アイス

カツ丼だとあんた坊主だろうが!
肉なんかたべていいのかよ!
「俗世間の食べ物を食して世間を知る」これは山本長五郎《やまもとちょうごろう》のありがたいおことばですナムアミダブツ
まったく生ぐさ住職め!
こういうやつにお経読まれても成仏できねえよ
海ほうづき
なにエスカレーターで頂上の展望塔までいきたい?
エスカレーターで
江の島頂上・展望台まで5分
世界で初の試み 野外エスカレーター
せっかくきたのじゃからな
観光地でああいうのに乗るのはカッペだけよした方がいいって!
年寄りの願いもきいてくれんバチあたりは苦しんで死ぬ事になるじゃろう
ジャラ

バカと煙は高いところにのぼりたがるんだよ まったく!
さて 着いたぞ おい
えっ? まだ 上に いくのか?
エスカーのりば
まいったな 金が かかる 乗り物だ!
げっ まだ あった!
エスカーのりば
帰りも金とられたら破産しちまうよ
下りのエレベーターは ございません!
なに!?

展望台について満足したろ！さあ　体力があるうちに帰ろう
うっ　突然持病が……！
始まりやがったな
結局こういうハメになるんだ
すまないねえ
フジカラー24
アイス
海がきれいだねえ
そうかいよかったな
両津さんお願いがあるんだけどね
なんだね

上から三つ目の階段の景色をもう一度みたいんだがね
ささやかな年寄りの願いも聞いてくれぬ者は 地獄へおちて……
わかったよいけばいいんだろ!
まったくわがままな住職だよ
ほら ここだぞ十分 目にやきつけとけよ
うーむ ちがうなあ
2番目のエスカレーターのところだったか…
すまんがもう一度エスカレーターのところへいってくれ
20分も歩くんだぞ軽くいうな

ここだ! ここじゃよ
ふう 世話の焼けるやつだ
もう いいだろ 帰るぞ
あ!!
大切な数珠を展望台のところへおいてきてしまった
すまんが もう 一度 階段をあがってくれ
わざとやってるんだろう こいつっ!
とんでもない 偶然じゃよ

よかったら今度もまた頼むよ
冗談じゃないよ体きたえにきたんじゃないんだぞ
アクセサリ
どうだ一杯飲んでいかんか
つぼ焼
おでん
ダメダメもう予算がない！
心配いらんよわしがごちそうしてあげるから…
本当かよやった！
わははははは！
うちの寺は会社にしておるきみも社員にならんか
坊主丸もうけでもうかるぞがっはははは
酒ぐせ悪いなあこの坊さんは！
きみが気に入ったきみの葬式にはぜひお経をあげよう
あんたの葬式の方が先だろ！

★週刊少年ジャンプ1984年10号

人形道入門の巻《まき》

それじゃ よろしく お願い します
おう まかせとけ!
なるほど あいつの いう通り よくできてるな!
なんです その人形は?
かっこいいだろ 新しい Gージョーの サンプルだよ
例の関節が コキコキ 動くってやつ ですか?
なんだ おまえ しらないのかよ!
ここで Gージョーを ご存じない 読者に Gージョーを 説明せねば なるまい
Gージョー研究家 ジョー山中氏《やまなかし》

※この作品は昭和59年にかかれたものです。その後コンバットジョーは、多くのバリエーションが販売されました。

顔はキャプテンスカーレット並みの精かんさ 手はゴム仕様なので銃などピタリと握れる
ドイツ軍モデル
サイズも旧Gージョーと同じなので 旧Gージョーの服もOK《オーケー》 ドイツ兵・アメリカ兵・現用アメリカ兵の3体 ほかに武器セットなどが 売られるはずである
福岡《ふくおか》県の江頭《えとう》 山形《やまがた》県の中山《なかやま》 荒川《あらかわ》区の亀井《かめい》 その他大勢のきみたち 3月後半ごろ売られる予定なので 今後 私のところへ Gージョー安く売れとか Gージョーくれ!とかいう手紙ださないように! わかったね!
ちなみにタカラのある葛飾《かつしか》区青戸《あおと》あたりは 当時内職してる家が多く友人のおばさんなどはGージョーの顔をかいていたという名誉な仕事をしていたのだ
私のかいたGージョーは今 日本のどこにいるのでしょうか?
最後にハスブロ社のGージョージープもってる少年! わしに それを送ってくれ
お礼にサインをあげよう! なっ いい子だね
なんでその新製品を先輩のところへとどけにきたんですか
わしはおもちゃに関してはプロフェッショナル その道では有名なんだぞ
チョロQ《キュウ》にしても わしがGO《ゴー》サインをだしたから あれだけ売れたんだ
本当ですか?

いっしょにやろうぜおまえドイツ兵
えっぼくもやるんですか?
それじゃはい「こんにちは」
「ようこそいらっしゃいました」「奥にケーキがありますよ」
ばかか! それじゃ女の人形遊びじゃないか!!
だってしらないですよぼくは……
男の人形遊びってのがあるんだよ
こうして銃をもたせてだな
右翼にドイツ兵発見! 撃て!
ズダダッダダダッ
ドイツ兵逃げた! 追えっズダダダッ
敵の息の根を止めろ! ズダダダッ
うわっ

しまった タマがきれた かくなる上は 白兵戦だ どりゃあ
ドイツ兵を 完璧に やっつけろ
にっくき ドイツ兵… げっ 部長!
両津ちゃん そういう事は 公園で 小学生と やるんだよ わかるね
はは はい 十分 わかって おります
ちょっと い…いたい なあ…… ててて!
御用
御用
ばか! おまえが あっさり やられないから みつかった だろ!
ゴン
あいた!
なんだ? それは Gージョー じゃないか ?
え? 部長 しってるん ですか?
そういえば 部長などは 全身 可動の1/1 実物大のGージョーと 太平洋戦争で 戦った方です からねえ
ばかっ おもちゃと 現実を いっしょに するな!

一丁目に 人形作りに かけて 日本で有名な 人が 住んでおる その人の家で これの原型を みた事が ある
そっ そんな人が 近くに 住んでるん ですか？
たしか MHK《エムエッチケイ》の 人形を 製作してるん ですよね
そうだ！
MHKてえと 「ひょっこり ひょうたん島」の 人形作った 岡本太郎《おかもとたろう》だ
メチャメチャ じゃないす か！
空中都市 008の人形を 作った ムナカタシコウ か？
その人は 板画家 ですよ 先輩
面白そうだな 中川 あとで こっそり いってみよう
えーっ いくんですか？

一丁目というとこのあたりだが……
香山織江ママ
香山リエ姉
ピェール香山パパ
香山リカちゃん
ちょっときいてみよう
この先ですわ!
なんだここか!?

たしかに
それらしい
家ですね
うーむ
さすが
芸術家の
家だな
なに
するとわしの作った
Gージョーを
みたいと
いうのかね
はい
人間国宝と
いわれた
先生の作品を
ぜひ！
当時 米国の
おもちゃ会社に
たのまれた
試作品の
Gージョーが
残っていたな
すると
本物の
元祖って
わけですね
これが
その
Gージョーだ！

すごい！指の関節まで動く！
さよう84か所可動の人形だ
しかし市販された物は21か所しか動かん人形となってしまったがな……
足の指まで動きますよ
変態だ……
コスト高だといっていた一体400ドルになるらしくてのう
たしかに高いですね ははは
歯まではえてる
わしは中途半端はきらいじゃわかるな！
ずずっ
ははあ！
アクセサリーのM16《エム》など製作に2か月もかかった
すっげえリアル！
さらに1ミリキャップによってブローバックするその上0.5ミリのBB《ビービー》弾《だん》まででるのじゃよ
う～～む 銃に興味のない人には全然 面白くない会話だがすごいな！
マガジンにタマをこめ このようにコッキングハンドルを引けば 第一弾がチャンバーに送られる
まさに日本の手作りの極めつけ

先生 そんな物を 公開すると マネをする バカが でて きますよ
あの スケールで まさか！ はっはは
ばかものっ 甘い！
おまえは 現在の プラモマニアの 実態を しらんのだ！
写真が 一枚でも あれば 三面図を おこし 立体に してしまうほどだ
特に SF《エスエフ》プラモ マニアの 異常なまでの 執念は すごいんだぞ
製作技術というより おん念に近いな どうしても〃欲しい〃 という おん念が 形を 作りあげて しまうのだ
おそろしい ですね
名古屋の 売れっ子漫画家 T氏《ティーし》のアシスタント などは 1/35の 改造人形のサルに 毛を一本一本 植えつけたそうだ…
まさに おん念ですね
アメリカ人は だめじゃのう せっかく このような リアルなサンプルを 作っても 技術が ついて いかん！
まったく！ 外人のあの巨大な 手でプラモは 作れませんよ！ 北《きた》の湖《うみ》が ソロバン はじくような ものです！
元もと 日本人は 手先が器用 なのじゃよ
ピシャリ 先生の いう通り！

だから わしはGジョーにかわる日本的なものを製作した!!
えっ それは…
ズバリ ファーマー吾作《ごさく》くん
これも84か所可動でアクセサリーの鍬《くわ》をもたせる
背中を押すと腕が上下するのだ
カク
カク
マテルの「ビッグジム」と同じですな
カク
カク
吾作くんはパートナーとセットになっている
リアルな顔だ……
ハウスワイフおたねどん!!
別売りの飯炊きセットのお米を もたせこのように背中を押すと握り飯をつくる
これはすごい! 日本の生活風土の勉強になりますね
チョンマゲが本当に結ってある

農家などのアクセサリーをいっぱい試作してある
うおっでかい！
さらに吾作くん人形をいっぱい使うと…
このように「農民一揆」のジオラマまでできる！
まさに動く日本史！
MHKの大河ドラマでぜひ これを使った人形アニメを製作してくれるように たのんどるところじゃ
ガンビーくん以来のヒットですよ
剣豪シリーズもあるぞ
ほう
チャンバラマンムサシくん！

これも背中の押し方によって斬り方が異なる
シュッ
シュッ
こりゃ面白い
すると小次郎《こじろう》の人形も？
当然！お通《つう》もおる
ちゃんと巌流島《がんりゅうじま》もジオラマ用に作ってある
なんかサンダーバード秘密基地みたいな島だな
巌流島
外人には売れそうな人形ばかりですな
そこなのじゃよ作ってくれるスポンサーのおもちゃ会社しらんか？
ずいっ
おもちゃ会社にしりあいがいますけど…
MHKはギャラが安くてのう
男児キャラクター課に小泉《こいずみ》という男がいるが…
日本で有数の人形作家とは思えないな…

へえ――っ
そんなにたくさんの人形をみてきたの
先輩はすごく感心したみたいだよ
いやな予感がするけど…
やあ皆さんお元気ですか
?
なんですかその荷物は？
広辞苑

人形だよ これで 商売する
えっ 売りに いくんですか？
ばか！売ったら それっきりで なくなるだろ
わかった 人形芝居 やるんでしょ
はずれ！もっと 新しい商売 だよ！
例によって 部長には 警ら中と いっておけよ！
やはり 何か 始める 気だ！
どうする 気かしらね
正しい 人形遊びの やり方だ！
今回は 東京の 下町地区での 遊び方を説明する
SANYO

基本的には金持ちの家に人形を 持って遊びに ゆくのがよい！
ケーキやコーヒーなどもでるしひとりっ子など高価なおもちゃがいっぱいある
金もち
たとえ おもちゃをこわしたとしても「また 買うよ」といって太っ腹であるまた 帰る時あきた おもちゃをくれる時がある
これらの理由から金持ちとは仲よしになった方が得である
人形はそのまま持たずハウスへ入れてもってゆく！
Gージョーなどは前線司令部の中に しまって移動する
遊び方女の子編着せかえごっこ遊び！
一部にバービー人形で遊んでいる変態学生もおるようだが…
私の服はケンゾーなのよォとか……
あーらあたしのバッグはセリーヌよォ
などと自慢しながら着がえるのがよい！
女の子はブランドの名をいっぱいしらないとこの東京に住めない
次にパーマネント遊び
できるだけハデな方が勝ち！
次に新人歌手遊び
作曲家やディレクターの家に いっぱい遊びにいった方が 勝ち！

その他いっぱいかいてあるテキスト！本日だけ100円で売るよ
正しい人形あそび（女の子編）
100円
ワァ
さておまちかね
男の人形の遊び方だよ
男の子編！戦争ごっこ!!
男の血が騒ぐ！これっきゃねえ！
ズガガガバキューンバキューー
カービィ！リトルジョン援護しろ！バキューーン
くらえ手榴弾だ！ヒュルルル〜〜〜
ドッカーンやったアーっ敵のトーチカはバラバラとなりました
すげえ——っかっこいい！
ブルルルルー…
ちょっとまて！
ひとり問題児をみつけた
警視庁

こちら葛飾区亀有公園前派出所⑮(完)

★週刊少年ジャンプ1984年 7 号

解説エッセイ「神に愛される漫画」

馳　星周（作家）

ノスタルジア――『こち亀』を読んでいると、ふと郷愁にかられることがある。
わたしは北海道のド田舎で生まれ育った。『こち亀』に描かれる東京の下町の風景と、どこまでも広がる北海道の大地とはまったく接点がない。それでも、ノスタルジア。
答えはわかっている。どんな田舎に住んでいようと、わたしの世代の周囲には東京の下町的なものが溢れていた。例えば、テレビドラマ。例えば、漫画。
そう、かつてはテレビのブラウン管や漫画雑誌の誌面には下町が溢れていたのだ。頑固で見栄っ張り、そのくせ涙もろいおやじたち。面倒見のいいしっかりもののおばさんたち。こまっしゃくれたガキども。野山を駆け回って遊んでいはしたが、下町の暮らしは、憧れとともにわたしたちの脳裏に焼きついて離れなかった。
おそらく、八十年代に入ってからだろう。下町的なものが揃って疎《うと》まれるようになっていった。テレビのブラウン管から頑固おやじやしっかりもののおばさんたちが姿を消した。代わりにブラウン管を占拠したのは陳腐なラブドラマ。登場人物たちは生活感のかけらもないマンションに住み、エゴ剝き出しの恋愛を演じてみせる。空虚な人間たちの空虚なコミュニケーション。そこにはこれっぽっちの共感も憧憬も見いだせない。

漫画も同じだった。下町の少年たちの日々の冒険をつづった漫画はいつしか姿を消した。代わりに漫画雑誌を席捲したのは超人的なヒーローたちだ。彼らは悪を滅ぼすために、血を辺り中に巻き散らしながら驀進した。もちろん、それが悪いといっているわけではない。わたしはそういう漫画に熱をあげたくちだ。少なくとも、テレビドラマよりは遙かに漫画雑誌の方が楽しかった。

問題は、テレビからも漫画雑誌からも下町が消えた、ということだ。『こち亀』だけが唯一、奇跡的に受難の八十年代を蹴散らして、雄々しく下町の生活を描きつづけることができたのだ。

なぜ『こち亀』だけが生き残ったのか？　この問いに対する正解は無数にあるだろう。例えば、〈両さん〉という主人公のアナーキィさパワフルさであるとか、作者である秋本治氏のひきだしの多さであるとか、読者の数だけ答えはある。そして、わたしという読者が用意する答えはこうだ――『こち亀』に描かれるのが過去の下町ではなく、生々しく呼吸をし、日々変わりつづける現在進行形の下町だから。

駄菓子屋、メンコ、べーごま、プラモデル――昔ながらの下町アイテム。『こち亀』では、これらに並行して現代のテクノロジーが生みだしたアイテムが描かれる。AV機器やパソコンは元より、戦闘機に代表される軍事兵器などが最たる例だ。下町とハイテク・アイテム。一見、不釣り合いに思えるが、決してそんなことはあるまい。わたしがイメージする下町のガキども（言葉が悪いとは思うが、わたしにはこういういい方がしっくりくる）は、好奇心が人間の格好をして歩き回っているというものだ。そんなガキどもが、不思議の一杯詰ったハイテク・アイテムに飛びつかないはずがない。

わたしは作者のことはよく知らない。しかし、秋本治氏が下町出身であろうことは容易に推測できるし、下町のガキ的好奇心を身にまとっているだろうことも、疑わない。彼が描くメカニズムにそれはよく現われている。小説でいえば、故・大藪春彦氏が描写したメカニズムと、秋本氏が描くメカニズムは似通っている。無機的でありながらどこか官能的なのだ。

要するに、シンプルでありながらすこぶる機能的なメカニズムに対する秋本氏の愛情は、ある意味で、非常に下町的であるということだ。山手の人間は与えられたものの機能を使うだけで、メカに愛情を抱いたりはしない——といえばあまりにも酷い偏見だが、しかし、わたしにはハイテク・アイテムと下町という構図がひどくしっくりくる。

いささか話が逸れた。そうしたハイテク・アイテムに代表されるように、『こち亀』に描かれる下町は、手垢にまみれたものではなく、時代とともにそのあり方を変えつつある生の下町だということだ。そこには昔ながらの頑固おやじもいれば、ゲームやパソコンの世界にどっぷりと浸かった今風の子供たちがいる。駄菓子屋の横に近代的なビルが建ち並んでいる。

神は細部に宿る、という言葉がある。映画、漫画、小説——表現様式がどうであれ、真っ先に問われるのは作品のディテイルなのだ。どれほど波乱万丈で血湧き肉躍るような物語だったとしても、作品世界のディテイルがおざなりにしか描かれないならば、その作品は読者の心を摑むことはできない。リアルな、過不足のないディテイル描写だけが作品に命を吹き込むことができる。

『こち亀』の下町にはそれがある。秋本氏の精密な下町のディテイル描写が、〈両さん〉のアナーキィなパワーを支えているのだ。それがあるからこそ、わたしのようにど田舎の人間――さらに付け加えれば、わたしが上京してから十五年になるが、わたしが下町に足を踏み入れたことはほんの数度しかない。でも、作品を楽しみながらなにかしらのノスタルジアを感じることができるのだ。

今年（97年）、少年マガジンが部数で少年ジャンプを追い越したというニュースを耳にした。わたしは三十を越えてから、つまりは小説を書くようになってから、あまり漫画週刊誌を読まなくなったので、最近の「ジャンプ」のありようは知らないが、さもありなんとうなずいたものだ。いつの頃からか、「ジャンプ」の漫画にはディテイルがなくなっていた。『ドラゴンボール』、『幽☆遊☆白書』、『スラムダンク』が終わってしまったあとはただの抜け殻のようなものだった――『こち亀』を除いては。わたしの世代は、おそらくは「少年ジャンプ」と共に成長してきた。今でもはっきりと覚えている。わたしが初めて自分の小遣いで買った漫画週刊誌は「少年チャンピオン」。『がきデカ』や『ブラックジャック』に狂い、そして、すぐに並行して「少年ジャンプ」を買うようになったのだ。「チャンピオン」はすぐにつまらなくなり、いつしか購読をやめてしまったが、「ジャンプ」だけは三十になるまで読みつづけた。わたしたちの上の世代にとって少年漫画週刊誌といえば「マガジン」や「サンデー」だった。わたしたちにとっては、それははっきりと「ジャンプ」だったのだ。
その「ジャンプ」の凋落が激しいと聞けば、寂しさを感じずにはいられない。ちらりとではあるが、また「ジャンプ」を読みはじめようかと思わないでもない。ここ数年の「ジャンプ」は確かにつまらない。だが、まだ『こち亀』が健在なのだ。『こち亀』を読むために「ジャンプ」を買い、あとの漫画はパラパラめくるだけでよいではないか。頭の中でそう囁く自分がいる。
しかし、今はコミック全盛時代だ。ほんの少し待つだけで、『こち亀』を単独で読むことができる。さらに待つつもりがあれば、もっと廉価に読むこともできる。本書のような文庫コミックがあるのだから。
どうしたものか——コンビニの雑誌コーナーで「ジャンプ」の表紙を見つめながら悩むたびに、わたしは『こち亀』を恨めしく思う。『こち亀』がなければ、わたしはとうに「ジャンプ」に別れを告げているはずなのだ。そして、おそらくは、『こち亀』の連載が終わりを告げるその日こそ、わたしが少年漫画に別れを告げる日だという気がする。
神は細部に宿る。『こち亀』のように神に愛される漫画は、そう簡単に出てきはしないだろうから。

掲載作品は集英社より刊行されたジャンプ・コミックス『こちら葛飾区亀有公園前派出所』第36巻（1985年8月）第37巻（同11月）第38巻（1986年1月）の中から、著者自らが精選して収録したものです。

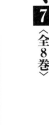

集英社文庫〈コミック版〉

ラブホリック 5 〈全5巻〉

宮川匡代

③同時収録「love must go on」「in the showcase」
④同時収録「Somebody loves you」 ⑤同時収録「love must go on」

シゲルは食品メーカーで働くOL。口の悪い上司・朝比《あさひ》奈《な》課長には怒られてばかり。でも最近、男として意識し始め!? 新世紀オフィスラブ!

花になれっ! 9 〈全9巻〉

宮城理子

①解説エッセイまんが⑨あとがきエッセイまんが　宮城理子

地味な女子高生・ももは、ひょんな事から超イケメンな蘭丸《らんまる》の家で住み込みメイドをする事に。その上、蘭丸の手でキレイに変身して!?

ラブ♥モンスター 1 〈全7巻〉

宮城理子

①解説エッセイまんが　宮城理子

SM学園《セントモンスター》に入学したヒヨを待っていたのは、イケメン生徒会長・黒羽《くろう》をはじめ、個性豊かな妖怪たちで…!? 妖怪ラブ♥ファンタジー。

ごきげんな日々

谷川史子

谷川史子初恋読みきり選

誰もが経験したことのある初めての恋…。あの日に感じた、切なくて甘酸っぱい気持ちを鮮やかに描いた、珠玉の初恋読みきり選。

外はいい天気だよ

谷川史子

谷川史子片思い作品集

あとがき　谷川史子

付き合っていても距離を感じる恋人同士…、一方通行な想いに悩む彼女など…。様々な片思いのかたちを繊細に綴った、片思い作品集。

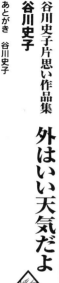

集英社文庫(コミック版)

こちら葛飾《かつしか》区《く》亀有《かめあり》公園《こうえん》前《まえ》派《は》出所《しゅつじょ》 15

1997年12月17日　第1刷
2009年7月31日　第3刷

定価はカバーに表示してあります。

著　者　秋《あき》　本《もと》　　治《おさむ》

発行者　太　田　富　雄

発行所　株式会社　集　英　社
東京都千代田区一ツ橋2－5－10
〒101-8050
電話　03（3230）6251（編集部）
03（3230）6393（販売部）
03（3230）6080（読者係）

印　刷　図書印刷株式会社

Printed in Japan

ISBN4-08-617115-5 C0179